Missionários Redentoristas

FÉ E VIDA

Em Jesus, a Redenção é Copiosa!

EDITORA
SANTUÁRIO

Este livro pertence a:..

Comunidade:..

Grupo: ....

Com aprovação eclesiástica

ISBN 85-7200-980-9

113ª impressão

Tiragem total até a 113ª impressão: 3.271.000 exemplares

Todos os direitos reservados à **EDITORA SANTUÁRIO** — 2025

Rua Pe. Claro Monteiro, 342 – 12570-045 – Aparecida-SP
Tel.: 12 3104-2000 – Televendas: 0800 - 0 16 00 04
www.editorasantuario.com.br
vendas@editorasantuario.com.br

APRESENTANDO

Este livrinho é mais uma palavra de carinho e de amor dos missionários redentoristas para você.

São palavras de Deus que orientam sua vida e ajudam a responder para você mesmo muitas perguntas que estão dentro de você. Um resumo das verdades que devemos crer, viver e ensinar aos outros.

Leia com amor, abrindo seu coração a Deus. Sua vida interessa a nós todos. Queremos sua felicidade e queremos construir com você uma comunidade de amor. Deus estará com você e você será testemunha dele na família, no trabalho, na escola e no meio dos irmãos.

Deixamos aqui uma palavra de ânimo para todos aqueles que se dedicam a ensinar a Palavra de Deus. Sintam a alegria de construir a pessoa humana nos outros e de caminhar juntos na Comunidade. Vamos continuar anunciando a todos os povos que JESUS É O SENHOR.

Os missionários redentoristas

Unidos em Cristo, na Fraternidade
É o lema de Vida da nossa Missão
VIVER E CRESCER EM COMUNIDADE
EM COMUNIDADE VIVER E CRESCER
Com Ele, por Ele, com a força dele
Nós vamos vencendo a nossa Missão
Unidos em Cristo, com a Virgem Maria
Nós vamos crescendo em nossa União

TEMAS MISSIONÁRIOS

UNIDOS EM CRISTO PARA VIVER E CRESCER EM COMUNIDADE

1. PROJETO DE AMOR DE DEUS PAI

"Não fomos nós que amamos a Deus, mas foi Ele quem nos amou e enviou-nos seu filho..." (1Jo 4,10)

1. **Deus é amor.** E por amor criou todas as coisas e deu vida a tudo. A terra é um presente que nos foi dado. Nela podemos viver em paz e harmonia, numa comunhão com Deus, com a natureza, com todas as pessoas e com nós mesmos.
Deus é o princípio e o fim de todas as coisas. Ele se manifesta em suas criaturas e fala conosco por intermédio delas. Ele também se manifesta na história, da qual Ele é o Senhor.

2. **Deus é fonte de vida.** Deus é amor e vida. Nele o amor e a vida não se esgotam, pois Ele é a fonte. As pessoas, a criação, a história encontram seu sentido e sua realização na medida em que se aproximam de Deus. Tudo o que se afasta ou se desvia dessa direção perde seu sentido e se transforma no pecado, que é a negação de Deus. Sem Deus, destruímos a vida e toda a criação, destruímos a nós mesmos e deturpamos todas as nossas relações.

3. **Deus é Pai.** Todos fomos criados por Deus para termos a vida em plenitude. Ele nos escolheu para vivermos e sermos sua imagem e semelhança vivendo no amor. Conhecemos a Deus por meio da bíblia, pelas suas manifestações na natureza, nas pessoas e nos acontecimentos. Mas o conhecimento mais profundo de Deus, nós o teremos fazendo a experiência de sermos e vivermos como filhos de Deus. Deus nos ama tanto e nós O chamamos de Pai, como Jesus nos ensinou. Sentir a presença de Deus é ter a vida em plenitude.

4. **Deus é misericórdia.** Deus é Pai de todos e amando-nos quer viver conosco. Nossa felicidade é viver com Ele; sentimos que Deus é Pai e Mãe que sempre nos acompanha com carinho, perdoando sempre nossas fraquezas e covardias. Ele manifesta um amor especial pelos fracos, doentes, marginalizados e excluídos. Sempre falamos que Ele é o Deus dos pobres e oprimidos. Temos certeza de que Deus nos ama e Ele nos ensina a amarmos todas as pessoas como condição para sermos felizes. Daí nascem a solidariedade, o amor.

5. **Deus é acolhida.** Somos felizes buscando sempre a Deus e conhecendo-O melhor. Não podemos ter medo de Deus que nos ama e caminha sempre conosco. Nem será feliz quem procura negar ou fugir de Deus. Precisamos encontrar esse Deus na experiência de seu amor que foi derramado no mundo e seguir Jesus que é o caminho que nos vai levar até Deus.

6. **Deus é partilha.** O projeto de Deus é um projeto de amor. Deus criou tudo por amor e pelo desejo de nos dar a vida. Essa vida temos que vivê-la em comunhão. O mundo todo que nasceu e nasce todos os dias das mãos de Deus por uma criação contínua é a expressão desse projeto de Deus que é a vida em comunhão e harmonia. Tudo foi entregue em nossas mãos e só seremos felizes nos integrando para viver na solidariedade e comunhão com Deus, conosco e com todos. Em Deus temos a plenitude da vida.

Leia na Bíblia: 1Jo 4,9-12; Lc 4,16-21; Jo 1,6-14; Gn 1,1-31; Salmos 19(18); 104(103); 148.

2. A PALAVRA DE DEUS

"A palavra se fez carne e habitou entre nós." (Jo 1,14)

1. **O projeto de Deus para nós é um projeto de amor e vida.** Esse projeto não é feito de leis e decretos por Deus. Ele tem a iniciativa da comunicação e diálogo com as pessoas por meio dos acontecimentos. Ele se comunica de amigo para amigo.

2. **O ser humano rompe a harmonia e a paz na criação.** O ser humano pretendia por si mesmo determinar o bem e o mal, como se quisesse tornar-se um deus. Mas conseguiu gerar a maldade, o egoísmo e a morte. A palavra humana tornou-se mentirosa e enganadora. Assim tivemos uma história de ódio, de sofrimentos, injustiças, na qual os fracos são sempre excluídos. Dependendo só das pessoas, a história fica sem rumo e sem solução.

3. **Palavra viva e Redentora.** Deus continua amando e salvando o ser humano. Ele entra na história humana, toma a iniciativa tornando-se Palavra viva e redentora. Com paciência, Ele vai revelando os caminhos da salvação por meio dos acontecimentos da vida. Assim vemos na Bíblia, na história do povo de Israel. Essa revelação se torna plena em Jesus que é a Palavra de Deus, que se fez homem e continua com os apóstolos e discípulos de Jesus. Deus nos fala por intermédio de Jesus.

4. **A Palavra nos acontecimentos.** Aprendemos a Palavra de Deus por meio dos acontecimentos, na história do Povo de Israel, por intermédio de Jesus e das mensagens das primeiras comunidades cristãs. Deus sempre esteve presente na história, uma presença de amor e de vida. Ele se revelou como Uno em sua divindade e Trino em sua personalidade. É Pai, Filho e Espírito Santo. Sobretudo se revelou como amor que atinge sua plenitude em Jesus, Filho de Deus que se fez carne e habitou entre nós (Jo 1,14).

5. **Palavra viva do Pai.** Jesus, revelação do Pai, é a chave de leitura de tudo. Ele está na origem e por meio dele a história se plenifica e Ele estabelece o diálogo da pessoa com Deus. Ele é o modelo da pessoa humana e o caminho histórico da libertação integral da pessoa e da sociedade.

6. **A Palavra de Deus é eficaz e salvadora.** A palavra de Deus tem a força divina para a salvação de todos os que creem (Rm 1,16). Ela revela e age. Mas a pessoa humana não pode permanecer passiva diante da Palavra. Deus espera uma resposta que será uma tomada de posição. Nesse sentido a Palavra é exigente. O cristão é convidado a agir

guiado pela Palavra e deve produzir frutos que transformem o mundo. A Igreja-comunidade é capaz de ler, interpretar corretamente a Palavra e dar-lhe a autenticidade que não pode ser conseguida de forma individual.

Leia na Bíblia: Jo 1,1-14; 12,46-49; Hb 1,1-3; Tg 1,22-24; Jo 6,60-69; Hb 4,12-14; Salmos 1; 119(118).

3. A PESSOA HUMANA

"Deus criou o ser humano à sua imagem, à imagem de Deus. Ele o criou, homem e mulher os criou." (Gn 1,27)

1. **Deus criou cada um de nós para sermos sua Imagem e Semelhança.** Pelo fato de sermos gente, já temos uma dignidade. Essa dignidade é a base da igualdade entre todos nós, homens e mulheres. Essa dignidade e igualdade são o fundamento do respeito de cada ser humano e do direito à vida e ao amor.

2. **Somos diferentes uns dos outros.** Cada pessoa é um ser único em sua semelhança com Deus. Há diferenças naturais de cor, sexo, idade, inteligência etc. Mas essas diferenças não podem ser motivos de discriminações e injustiças. Assim elas contrariam o projeto de Deus e ferem a dignidade e igualdade fundamental. Elas são a raiz do mal que vicia instituições sociais e desumaniza a convivência humana, porque desrespeitam a imagem de Deus em cada homem e mulher.

3. **Somos colaboradores de Deus e responsáveis pela criação**. Deus nos criou dotados de inteligência, liberdade e responsabilidade. Cada pessoa humana é capaz de ser responsável por si mesma e pelos outros. É capaz de se desenvolver e evoluir. Quanto mais desenvolver suas capacidades e sua participação responsável no mundo, ela se torna melhor e ajuda a realizar o projeto de Deus. A participação na sociedade é um direito e um dever de cada pessoa. Como é um direito a participação nos bens produzidos pelo esforço de cada um e de todos. A pessoa humana é um ser que se faz.

4. **Deus em seu amor por nós, enviou-nos um modelo do ser humano perfeito: Jesus.** Jesus é o modelo de cada pessoa, por isso Ele é o primogênito de uma nova humanidade segundo o projeto de Deus. Ele assumiu a situação dos empobrecidos, marginalizados para restaurar em todos a dignidade e igualdade originais. Viveu igual a nós em tudo, menos no pecado e realizou de forma completa o projeto de ser a imagem de Deus. Segui-Lo significa achar o caminho da humanização perfeita até a filiação divina, tendo um só Pai, então viveremos unidos como irmãos.

5. **Ninguém será feliz sozinho.** Nós somos feitos para viver no amor ajudando-nos uns aos outros. Jesus nos ensinou o caminho: "amai-vos uns aos outros, como Eu vos amei" (Jo 15,12). Solidários e caminhando em comunidade, seremos sinais de Deus para todos, felizes e realizados.

Leia na Bíblia: **Gn 1,26-31; Lc 12,27-31; Rm 8,14-17;** Gn 2,8-25; Ef 1,3-12; Salmos 8; 139(138).

4. FÉ: ACOLHER A PALAVRA DE DEUS

"Essa é a vitória que venceu o mundo, a nossa fé." (1 Jo 5,4)

1. **Ter fé é aceitar o projeto de Deus.** Deus confia mais no ser humano do que o ser humano em Deus. A falta de entrega a Deus faz com que seu projeto de amor não se concretize e se manifeste claramente em cada dia. Ter fé não é só crer em Deus, mas aceitar e acolher seu projeto de amor. É preciso acreditar que Ele já está fermentando nossa história, apesar das contradições e da lentidão das transformações.

2. **Ter fé é acolher Jesus.** O essencial da fé cristã é acolher Jesus como o Filho enviado pelo Pai para ser nosso irmão e salvador. Fé não é só um sentimento, mas adesão concreta a Jesus, projeto vivo e perfeito do Pai. Ele é o projeto de Deus que deu certo, por isso é modelo de todo o ser humano e ponto final e feliz da história humana. Ser cristão é professar a fé em Cristo ressuscitado,

presente no meio de nós e anunciar que Jesus é o Senhor e Salvador.

3. **Fé sem obras é morta.** A fé provoca um novo modo de ser e de viver. A fé cristã explica, esclarece e dá novo significado à vida. "O justo vive da fé" (Rm 1,17). Tudo deve ser lido e esclarecido por meio da fé, que torna a vida uma experiência e uma prática comprometida com o projeto de Deus. Por isso a fé sem obras é morta. Ela dá sentido e ilumina tudo o que fazemos.

4. **A fé dá sentido à vida.** Somente quem crê em Deus encontra o significado para a própria vida e para a vida do mundo. Uma pessoa sem fé é como alguém perdido na noite. Não tem saída. Os problemas, dificuldades e doenças não são falta de fé. Só a fé pode ajudar as pessoas entenderem e vencerem os próprios problemas.

5. **A fé não nos desliga da realidade da história.** A fé não é alienante, ela nos impele à participação na vida das pessoas e da comunidade. A fé nos leva a um compromisso de luta pela transformação da história para melhor. Uma fé esclarecida purifica nossas crenças tradicionais para que não aceitemos tudo como vontade de Deus.

6. **Nossa ética social brota da fé.** A fé nos faz perceber que Deus está preferencialmente ao lado dos empobrecidos. Ela exige que sejamos solidários com esses irmãos na ajuda e na luta que os libertem da miséria, da injustiça. O projeto de Deus que aceitamos pela fé visa a libertação integral de todas as pessoas.

7. **A fé cresce e pode se apagar.** A fé é como uma luz que alimenta, ilumina, mas pode apagar-se. Por meio da oração, meditação da Palavra de Deus, da participação na comunidade e pela prática das boas obras, a fé se aprofunda e cresce. É preciso estar vigilante.

Leia na Bíblia: Lc 17,5-6; Jo 8,31-47; 1Jo 5,1.10-12; Hb 11,1-3.6; Mt 14,22-33; Mc 9,14-24; Jo 20,24-29; Rm 3,21-31; 4,1-25; Tg 2,14-26; Gl 3,1-29; Salmos1; 11(10); 14(13); 121(120).

5. O PECADO: MISTÉRIO DE INIQUIDADE

"Não pequem; mas se alguém pecou, temos um advogado junto do Pai, Jesus Cristo, o Justo." (1Jo 2,1-2)

1. **Muitas vezes cometemos erros em nossa vida.** Quando esses erros dizem respeito ao comportamento moral e são feitos conscientes e planejadamente, então acontece o pecado. Recusamos a felicidade da amizade de Deus e não aceitamos seu projeto de amor. Com o pecado destruímos a nós mesmos e destruímos a harmonia do universo, gerando o sofrimento e a morte.

2. **A raiz do pecado é o egoísmo.** A pessoa age sem levar em conta Deus e o próximo. Ela quer determinar o bem e o mal. Esse egoísmo que centraliza tudo no ser humano gera a busca desenfreada do prazer, a ambição pelo poder e a ganância do ter sempre mais. Os frutos do pecado são a destruição, a mentira, a maldade entre as pessoas. Isso transforma nossa história num mar de violência e de dor, de injustiça e infelicidade.

3. **O pecado tem uma dimensão social.** O pecado irradia sua maldade para muita gente e seus efeitos atingem pessoas inocentes, cria uma mentalidade permissiva ou uma cultura do mal que escraviza as pessoas. O pecado permanece e deturpa não só as pessoas que o cometem, mas atinge as estruturas da sociedade tornando-a injusta e perverte as relações criando o ódio, a violência e o mundo de exclusão. Ele se manifesta nas pessoas em forma de ação pecaminosa por meio de pensamentos consentidos, de palavras e atos praticados; em forma de omissão deixando de fazer por desprezo ou indiferença, falta de compromisso, preguiça; em forma de organização, por meio de leis, regras da vida social, econômica e política, que são injustas. É o chamado "pecado social".

4. **Com o pecado destruímos a imagem de Deus em nós e nos outros.** Antes de ofender a Deus, o pecado é autodestruição do ser humano. Provoca ferida no coração humano e destrói o sentido maior da própria vida. Quanto mais colaboramos com a mentalidade de pecado, mais pecadores nos tornamos.

5. **O pecado é uma fraqueza e engano que o ser humano comete.** Podemos ver as consequências para o ser humano e para a história. Muitas vezes o pecado aparece como uma ocasião para ser feliz, mas é um engano. Outras vezes a pessoa se preocupa com as infrações de leis, mas não tem consciência de pecados bem maiores como: desonestidade no trabalho, no comércio; salários injustos, insensibilidade e indiferença diante dos que não têm o necessário para sobreviver; violência, falsidade, calúnia etc.

6. **A bondade de Deus é maior que qualquer pecado.** Para o cristão o mais importante é a certeza da misericórdia de Deus, que ama e quer salvar a todos. Sempre que reconhecemos nosso pecado e nos arrependemos, temos certeza de que Deus nos perdoa. O importante é não nos desanimarmos e afastar-nos de Deus. Ele nos dá a graça para vencermos o pecado e sermos verdadeiramente felizes.

Leia na Bíblia: Lc 12,2-5; Jo 8,31-47; Rm 5,17-19; 1Jo 3,7-10; Gn 3,1-24; Mt 4,1-11;5,21-48; Lc 5,18-26; 15,11-32; Jo 3,16-21; Rm 1,18-32; Gl 5,13-26; 2Ts 2,7-12; Salmos 21(22); 51(52); 103(104).

6. JESUS CRISTO: DEUS CONOSCO

"Deus amou tanto o mundo que entregou seu filho único, para que todo aquele que nele crer não pereça, mas tenha a vida eterna." (Jo 3,16)

1. **Jesus é o sinal do amor de Deus por nós.** Ele vem de Deus, é Deus conosco e n'Ele se realiza plenamente o desejo de Deus viver conosco. Ele assumiu nossa humanidade como diz o Evangelho: "O verbo se fez carne e armou sua tenda entre nós" (Jo 1,14). Ele se fez um dos nossos tomando corpo como nós e vivendo nossa vida.

2. **Jesus é a imagem visível de Deus Pai (Cl 1,15) e modelo da pessoa humana.** Ele se fez homem, encarnando a vida do ser humano em todo os momentos. Viveu

igual a nós, menos no pecado. Anunciou o amor, a salvação para todos. Ele é a presença de Deus junto de nós. Ele é o homem novo, o mais perfeito dos seres humanos.

3. **Nasceu em Belém, filho de Maria, pelo poder do Espírito Santo. Recebeu o nome de Jesus que significa Javé salva.** Frequentou a sinagoga, que era a sua comunidade, estudou, trabalhou como carpinteiro. Já bem adulto saiu de sua casa para anunciar o Reino de Deus, isto é, o projeto de Deus de salvar a todos. Pregou o amor sem limites e sem discriminações, ensinou a perdoar sempre, foi amigo dos pobres, dos doentes, dos mais fracos e dos pecadores. Ensinou que Deus nos ama como filhos queridos e que toda a pessoa tem que amar para ser feliz. O mandamento que nos deixou é o distintivo de todo cristão: "Amai-vos uns aos outros como eu vos amei" (Jo 15,12).

4. **Jesus foi solidário com o ser humano em tudo.** Seu amor por nós levou ao extremo de tomar sobre si nossas dores e pecados, todas as violências e injustiças praticadas na terra para transformá-los por meio do próprio sofrimento (Is 43,4). Ele foi rejeitado, perseguido, preso e crucificado, porque sua doutrina incomodou e feriu os poderosos e donos da situação. Ele nos ensinou o caminho para construção da nova sociedade mais fraterna e mais justa. Deus O ressuscitou confirmando que Ele era o Filho de Deus, caminho para a realização do projeto de Deus.

5. **Jesus Cristo, ontem, hoje e sempre.** Ele é a luz, o único pastor. Ele é o caminho, verdade e vida (Jo 14,6). Aqueles que aceitam Jesus e procuram viver seus ensinamentos precisam ser fortes para enfrentar problemas, perseguições e até a morte. É preciso anunciar Jesus como Salvador e como caminho para a construção da nova sociedade. Em Jesus, Deus nos reúne e nos ensina a viver em comunidade. Nele somos filhos amados de Deus, irmãos uns dos outros. Precisamos ter no coração os mesmos sentimentos de Jesus para vivermos como Ele viveu e amarmos como Ele nos amou.

Leia na Bíblia: Mt 5,43-48; Jo 3,16-18; Fl 2,5-11; 1Jo 1,1-4; Mt 16,13-20; Lc2,8-32; Gl 4,4-7; Cl 1,13-20; Hb 1,1-4; Ef 1,3-14; Ap 5,9-14; Salmos 18(17); 23(22); 62(61); 98(97); 110(109); 130(129); 136(135).

7. IGREJA – POVO DE DEUS

"Vós sois o corpo de Cristo e sois os seus membros, cada um por sua parte." (1Cor 12,27)

1. **A Igreja é o sacramento da presença e ação de Jesus.** Após a morte e ressurreição de Jesus, no dia de Pentecostes, os apóstolos e discípulos receberam o Espírito Santo que os constituiu como um novo Povo de Deus. Será um povo diferente do povo do Antigo Testamento, não mais identificado pela raça, mas pelo seguimento de Jesus. Eles formaram a pequena comunidade que chamamos de Igreja, onde se vive como filhos de Deus e irmãos inaugurando o Reino definitivo de Deus: um só Pai e todos irmãos uns dos outros.

2. **A Igreja continua no meio de nós por intermédio de Jesus.** Ele é o centro da história humana e da Igreja. Não existe Igreja sem Jesus. Ela é a comunidade dos que aceitam Jesus, procuram viver seus ensinamentos e os anunciam aos outros. A identidade da Igreja é evangelizar. Anuncia a Ressurreição como sinal de esperança para todos. Denuncia os erros em sua missão profética. Aponta o caminho da fraternidade como a realização do projeto de amor de Deus.

3. **A Igreja – Povo de Deus é uma iniciativa de Deus.** Apesar de nascer da experiência do Cristo Ressuscitado, Ela foi suscitada pelo Espírito Santo e continua penetrada pela presença e força do mesmo Espírito. Mas a Igreja é também uma realidade humana, feita de pessoas limitadas e pecadoras. Tem a santidade que Deus lhe confere. Ela realiza nossa comunhão com Deus e a comunhão entre nós. É importante viver e crescer em comunidade.

4. **A Igreja é uma comunidade diferente da sociedade humana.** A Igreja – Povo de Deus – é marcada pela digni-

dade e igualdade de todos. Ela é servidora, seu distintivo é o amor, seu grande serviço é evangelizar transformando as pessoas e as estruturas da sociedade. A sociedade humana hoje é marcada pela hierarquia de funções e poderes, criando discriminações e disputas entre homens e nações. A Igreja é aberta e acolhedora, convida a todos para sua missão de evangelizar.

5. **Igreja é povo que se organiza, para viver e crescer em comunidade.** A Igreja é uma comunidade organizada. Ela se abre na diversidade de seus serviços, por isso se organiza em ministérios, onde cada um presta um serviço especial: o Papa, os bispos, padres, diáconos, religiosos e os demais ministros. Mas todos formam um só Povo de Deus e caminham dentro de uma meta: viver e crescer em comunidade.

6. **Igreja, vida em comunhão e participação.** Na Igreja todos são importantes e todos são responsáveis. Acreditando na força do Espírito Santo para anunciar o Reino, a Igreja se une numa vida de comunhão e participação, onde todos trabalham juntos e caminham na mesma direção. Por meio de nossa participação ativa, colocando nossos dons e nossa colaboração em comum, estamos apresentando ao mundo uma Igreja alegre e transparente, sinal de Jesus Ressuscitado.

Leia na Bíblia: Mt 5,3-48; 16,13-19; 18,1-35, 1Cor 12,12-27; 1Pd 2,9-10; At 2,42-47; 4,32-35; Ef 4,4-16; Jo 15,1-8; Salmos 24(23); 122(121); 127(126); 133(132).

8. MARIA: MÃE E MODELO DA IGREJA

"De agora em diante todas as gerações me chamarão de bem-aventurada, pois o Todo-Poderoso fez em mim grandes coisas." (Lc 1,48-49)

1. **Maria: um coração que era sim para a vida.** "Quando chegou a plenitude dos tempos, Deus enviou seu filho nascido de mulher" (Gl 4,4). Deus escolheu uma

mulher para participar de modo especial no seu plano de salvação. Ele se dá a nós em Jesus por meio de Maria de Nazaré. Ela aceitou ser a mãe de Jesus. Nela se realiza o grande mistério: pela encarnação de seu filho, Deus nos dá o máximo de seu amor entregando-nos um Redentor.

2. **Maria: um coração que era sim para o irmão.** Deus fez de Maria a mulher cheia de graça e a mais bendita entre as mulheres. Ela é para nós um modelo porque soube se colocar nas mãos de Deus e se dar a nós. A atitude de Maria face ao convite de Deus a encheu de graça e traçou para nós um caminho. Ela é feliz não só pela maternidade corporal, mas porque ouviu a Palavra de Deus e a pôs em prática (Lc 11,18). Viveu pobre e lutou para sobreviver, mas sempre unida a Deus.

3. **Maria: um coração que era sim para Deus.** Ela se tornou Mãe de Jesus e também nossa Mãe. Com as palavras: "Mulher, eis aí teu filho" e "Eis aí tua Mãe" (Jo 19,26-27), Jesus nos deu Maria por Mãe. Faz dela a Mãe da Igreja. Não há comunidade reunida em nome de Jesus sem Maria. Ela estava presente em Pentecostes quando a Igreja nasceu.

4. **Maria: a mulher que é sim para missão.** Ela continua hoje sua missão. Um dia ela nos deu Jesus, hoje ela continua nos trazendo Jesus e nos levando para Ele. Deus quis nos salvar em Jesus por Maria. Ela, na vida da Igreja tem muitos títulos, mas é sempre Maria de Nazaré, nossa Mãe querida. Com a Igreja, continuamos a amar Maria e a receber por intermédio dela as graças que o amor de Deus nos concede.

5. **Maria: a mulher que nos ensina.** O Papa João Paulo II falou em Aparecida: "A devoção a Maria é fonte de vida cristã, é fonte de compromisso com Deus e com os irmãos. Permanecei na escola de Maria, escutai sua voz, segui seus exemplos. Como ouvimos no Evangelho, ela nos orienta para Jesus. 'Fazei tudo o que Ele vos disser' (Jo 2,5). E como outrora em Caná da Galileia, encaminha ao Filho as dificuldades dos homens, obtendo d'Ele as graças desejadas. Rezemos com Maria e por Maria, ela é sempre a 'Mãe de Deus e nossa'" (discurso – Aparecida – 4 de julho de

1980). Continuemos nossa Prece: "Mostrai-nos Jesus, bendito fruto do vosso ventre. Amém".
Leia na Bíblia: Jo 2,1-11; 19, 25-27; Ap 12,1-16; Est 5,1-2; 7,1-3; Gn 3,14-15; At 1,12-14; Gl 4,4-7; Salmos 45(44); 131(130).

9. PARÓQUIA MISSIONÁRIA – NOVA EVANGELIZAÇÃO

"Consagra-os na verdade, a tua palavra é a verdade. Como tu me enviaste ao mundo, também eu os envio ao mundo."
(Jo 17,17-18)

1. **A paróquia é a pequena Igreja: lugar de comunhão e participação.** O amor se irradia por si mesmo. Quem descobriu a felicidade de ser amado por Jesus e fez a experiência de seguir seus passos e seus ensinamentos, quer que os outros também façam essa experiência. A paróquia é a pequena Igreja, onde vivemos e da qual participamos. Coordenada pelo pároco, ela é por excelência missionária, porque essa é a identidade da Igreja. Comunidade que não evangeliza é comunidade morta. É preciso prosseguir evangelizando, fazendo discípulo de Jesus a todos e mostrando-lhes a alegria da fé em comunidade. É fundamental caminhar juntos UNIDOS EM CRISTO.

2. **A paróquia é uma comunidade de comunidades vivas.** Como célula viva da diocese, ela é um sinal da presença de Jesus em nosso meio. Não é uma assembleia de pessoas anônimas e indiferentes ou de grupos e movimentos autônomos. É o lugar principal de nossa participação e comunhão. Ela deve se organizar em pequenos grupos, formando uma "rede de pequenas comunidades" (Santo Domingo – Celam) capazes de levar a mensagem de Jesus a todos os lugares e pessoas, criando a verdadeira fraternidade e possibilitando a todos caminharem juntos. A Eucaristia será então o ponto alto do encontro de irmãos e de comunidades.

3. **Uma verdadeira paróquia é sempre missionária.** Nossa identidade é evangelizar. A paróquia missionária não se acomoda, debruça sobre os problemas e urgências espirituais e materiais e procura contribuir para tornar a sociedade mais justa e mais humana. Ela anima todos os batizados para que assumam o desafio de anunciar e testemunhar o Evangelho de Jesus pela fé, união e serviço aos irmãos.

4. **A paróquia: Fonte de Evangelização.** Vamos evangelizar. O centro da evangelização é Jesus Cristo, ontem, hoje e sempre. A partir do conhecimento do Evangelho, anunciamos os grandes temas que fundamentam nossa fé: cremos em Deus Pai bondoso, em Jesus nosso modelo de ser pessoa, no Espírito Santo que nos sustenta na fé e nos santifica. A Igreja – comunidade de salvação – é o lugar de fraternidade e de amor como caminho de superação das injustiças e discriminação. É o lugar do perdão misericordioso de Deus. Testemunhamos nossa fé por meio da alegria e da firmeza de atitudes cristãs.

5. **Paróquia: Lugar da partilha dos dons.** Evangelizar é servir. Como Igreja, nossa comunidade coloca tudo a serviço do bem comum. Cada um recebeu o dom para o proveito comum, daí a riqueza na diversidade. Evangelizamos quando nos dedicamos à família, à profissão, à produção artística e cultural, na educação escolar, nos sindicatos, nos movimentos e até na política partidária. Nosso compromisso é a luta para acabar com a injustiça, violência e miséria, para humanizar as estruturas e as leis da sociedade. Evangelizar é também o trabalho do bom Samaritano que se aproxima de quem sofre para ajudá-lo a recuperar a dignidade humana. Outra forma de partilha é o dízimo. Não é oferta ou esmola, é ação de graças. Estamos entregando a Deus uma parte do que Ele nos deu. Com o dízimo a paróquia pode prover a formação religiosa dos agentes de pastoral e a manutenção do culto, pode também se organizar em sua ação missionária e na dimensão social. É uma questão de consciência.

6. **Paróquia: Diálogo, como base de Evangelização.** Evangelizar é dialogar. É um encontro de pessoas que pode abrir os corações. O diálogo deve levar ao esforço para acolher o diferente e perceber o sopro do Espírito. Esse diálogo deve nos levar a um esforço de ecumenismo entre as religiões a partir da solidariedade efetiva entre pessoas de boa vontade, que se preocupam com a salvação integral do ser humano. É preciso estar aberto ao pluralismo de ideias e de valores para unir as forças.

7. **Evangelizar é anunciar.** O ser humano está à procura de caminho. Nós temos uma esperança concreta que é Jesus. É urgente apontar um novo horizonte para o mundo por meio de um anúncio explícito, profético, e libertador de Jesus como Salvador e do seu Evangelho como projeto divino para a felicidade. Com Maria, estrela da evangelização, acreditamos que o mundo será iluminado e a paz se estabeleça entre nós.

Leia na Bíblia: **Mc 6,7-12; 1Cor 9,16-18; Tg 5,19-20;** Mt 25,14-25; Lc 10,1-24; At 1,6-11; 6,1-7; Rm 12,3-21; 13; 14; Salmos 15(14); 33(32); 72(71); 144(143); 150.

10. ORAÇÃO – DIÁLOGO DE AMOR

"Quando rezardes, dizei: 'Pai, santificado seja o teu nome'." (Lc 11,2)

1. **A oração é fonte de união.** A primeira comunidade cristã, após a ressurreição de Jesus, vivia unida pela oração, pela fração do pão (eucaristia) e pelo amor fraterno. Os cristãos eram um só coração e uma só alma, a tal ponto que tinham tudo em comum (At 2,42).

2. **A oração cristã é um diálogo de amor filial com o Pai.** Toda oração vai ao Pai por meio de Jesus e em união com Espírito Santo. Ela nos coloca em sintonia com a revelação de Deus para discernir a sua vontade. Ela nos ajuda em nossa experiência de Deus e nos dispõe para nos identificarmos com Cristo, facilitando a realização do projeto de Deus em nós. A oração alimenta nossa fé e nos ajuda a vivê-la na vida.

3. **A oração cristã deve ser penetrada da Palavra de Deus**. Por meio da Palavra de Deus, aprendemos a entrar em contato familiar com o Senhor, a escutar sua mensagem e discernir sua vontade.

4. **A oração cristã tem muitos modos.** Temos a oração litúrgica, em que rezamos em nome da Igreja nas celebrações, principalmente na Eucaristia e na Liturgia das Horas. Temos a oração da comunidade, quando nos reunimos em nossos grupos missionários com algumas famílias, confiados na Palavra de Jesus: "onde dois ou três estiverem reunidos em meu nome, eu estarei no meio deles" (Mt 18,20). Temos a oração pessoal no silêncio do nosso coração recitando preces, meditando ou conversando com Deus.

5. **A verdadeira oração está ligada à caridade.** Quando rezamos temos que estar cheios de sentimentos de amor. Mágoas, desunião, ofensas feitas e recebidas que não pretendemos superar, atrapalham nossa disposição de dialogar com Deus. A oração dos lábios se completa com a oração das mãos que se estendem aos necessitados, lembrando as palavras de Jesus: "Tudo o que fizerdes ao menor dos meus irmãos é a mim que o fazeis" (Mt 25,45). Rezar faz muito bem. Santo Afonso dizia: "Quem reza se salva".

Leia na Bíblia: Lc 11,1-13; Jo 16,23-28; Tg 1,5-17; Lc 18,1-14; 18,22-40; Mt 6,1-15; 18,19-20; Rm 8,26-28; Salmos 5; 40(39); 42(41); 57(56); 62(61); 67(66); 70(69); 123(122); 130(129); 143(142).

11. A FRATERNIDADE CRISTÃ: VIVER NO AMOR

"Amai-vos uns aos outros assim como eu vos amei." (Jo 15,12)

1. **O amor fraterno é a essência do Evangelho.** O amor fraterno que Jesus quer de nós é o que mostrou na noite da Quinta-feira Santa. Ele lavou os pés dos discípulos, confirmando com gestos o que nos ensinara: "Eu vos dou um novo mandamento: que vos ameis uns aos outros.

Assim como eu vos amei, amai-vos também uns aos outros. Todos hão de conhecer que sois meus discípulos, se vos amardes uns aos outros" (Jo 13,34-35).

2. **Quem não ama aos outros não ama a Deus.** Quem serve não é menor do que o outro, porque o amor o faz maior. Amar é perdoar, repetindo o jeito de Deus misericordioso que sempre nos perdoa. Amar é reunir-se, pois Jesus nos quis vivendo em comunidade como sinal da realização do projeto de Deus. Amar é doar-se; é fácil dar alguma coisa, mas é preciso aprender a doar-se sem nada exigir. Esse é o amor que a morte não destrói.

3. **O amor cristão é comunitário e solidário.** O amor quer nos reunir em comunidade, onde podemos aprender a caminhar juntos dividindo alegrias e sofrimentos e ajudando uns aos outros pela partilha. O amor não concorda com uma sociedade, na qual há pessoas ricas cada vez mais ricas e pobres cada vez mais pobres. Os sofrimentos dos irmãos que padecem injustiça, sem voz e nem vez como cidadãos, pedem de nós atitudes concretas de amor solidário.

4. **O caminho do amor de Jesus deve ser o nosso caminho.** Jesus viveu e ensinou-nos "as bem-aventuranças" que devemos seguir e viver:

• Felizes os pobres, que têm um coração aberto a todos e desapegado das riquezas, porque Deus já mora com eles.

• Felizes os que choram por causa do sofrimento, do mal e lutam para superá-los, porque Deus vai consolá-los.

• Felizes os mansos, sem orgulho, nem vaidade, porque são verdadeiros donos da terra.

• Felizes os que querem a justiça e a paz, e trabalham por elas sem violência, porque serão chamados filhos de Deus.

• Felizes os que tratam os outros com amor e compreensão, porque Deus lhes dará o seu coração.

• Felizes os que têm um coração limpo, sem mentira e malícia, porque podem olhar com carinho para Deus.

• Felizes os que sofrem zombaria e até perseguição por

causa de Jesus Cristo e de seu projeto de amor. Podem alegrar-se, porque já possuem o Reino de Deus no coração.
Leia na Bíblia: Jo 13,1-15; 15,9-16; Lc 10,29-37; 1Jo 3,16-23; 4,7-21; 1Cor 13,1-9; Mt 5,1-12; 6,9-15; 7,1-5; Salmos 37(36); 50(49); 112(111); 133(132).

12. VIVER COM DEUS PARA SEMPRE

"Na casa do meu Pai há muitas moradas... vou preparar-vos um lugar." (Jo 14,2)

1. **A comunidade caminha com Jesus para a felicidade total.** Ela não recusa tomar sua cruz e seguir o Senhor, porque sabe que Ele venceu a morte e está à direita do Pai. Essa é a realização final da vocação do ser humano: a comunhão definitiva com Deus por meio de Jesus Ressuscitado. É a realização completa do projeto de Deus.

2. **Nossa morte é um fato.** Há um limite para a vida humana. A exemplo de Jesus, experimentamos a morte, mas com a certeza da ressurreição. Só assim possuiremos a Deus plenamente. Jesus fez essa caminhada para nos dar a certeza e ser também nosso Caminho.

3. **Para o cristão a vida não é tirada, mas transformada.** Assim como Deus ressuscitou Jesus, Ele ressuscitará a cada um de nós para participarmos da plenitude da vida no próprio Jesus. Tudo vai depender de nossa fidelidade ao Evangelho. A fé nos ensina que então Jesus nos receberá: "Vinde benditos de meu Pai, tomai posse do Reino..." (Mt 25,34).

4. **Fomos criados para vivermos felizes.** Confiados na bondade de um Deus que é Pai e na certeza da fé, caminhamos cheios de esperança, procurando viver no amor com os irmãos. Fazemos assim o nosso céu a partir desse mundo, numa vida que terá seu esplendor na eternidade. O ser humano terá sua realização plena como ressuscitado e nesse momento o plano de Deus se realizará completamente. Viveremos com Ele e Ele conosco para sempre. "Os olhos

jamais contemplaram, ninguém pode explicar, o que Deus tem preparado àquele que em vida O amar" (1Cor 2,9).
Leia na Bíblia: Mt 25,31-46; 16,24-28; Jo 19,16-30; Fl 2,5-11; Rm 5,12-17; 1Cor 13, 8-13; 1Ts 4,13-18; Ap 20,11-15; 21,1-27; Sb 3,1-9; 4,7-19; 5,1-23; Salmos 24(23); 36(35); 39(38); 84(83); 122(121).

13. OS SACRAMENTOS: ATUALIZAÇÃO DE JESUS CRISTO

"Ele nos escolheu, antes da fundação do mundo, para sermos santos e irrepreensíveis diante Dele no amor." (Ef 1,4)

1. **Jesus Ressuscitado está vivo e age no meio de nós.** Ele se faz presente em nossa caminhada recriando os mesmos gestos de salvação que lemos no Evangelho. Ele realiza nossa união com o Pai, pelo Espírito Santo. Esses gestos são chamados de Sacramentos.

2. **Os sacramentos são sinais especiais que significam a presença de Jesus em nosso meio.** Eles atualizam sua Ação Redentora continuando a nos salvar. A comunidade celebra por meio desses gestos e dos ritos da fé a vida de Jesus e nossa vida nele. Por meio desses momentos renovamos a vida, a morte e a ressurreição de Jesus, tornando presente a graça que salva.

3. **Eles não são gestos mágicos ou recordação do tempo de Jesus.** São ações atuais do próprio Jesus Ressuscitado. Sem fé não se pode ver além das coisas e pessoas. A fé nos faz acolher os sinais sacramentais como gestos de libertação e de comunhão com o Pai por intermédio de Jesus. Qualquer sacramento supõe uma comunidade que ouve a Palavra de Deus e a responda com fé, celebrando essa fé e sua própria vida no rito sacramental.

4. **Os sacramentos são momentos do amor de Deus por nós.** Jesus, o presente de Deus, caminha conosco em todos os momentos da vida. Na medida em que vivemos, o Espírito Santo vai nos transformando pela graça dos sacra-

mentos em sinais vivos de Deus. A meta dos sacramentos é conduzir-nos a uma maior e mais intensa vida de comunhão com o Pai e com os irmãos, até vermos Deus face a face.

5. **Na Igreja temos sete sacramentos.** Eles alimentam nossa vida do nascimento até a morte. O Batismo, a Crisma e a Eucaristia nos introduzem na vida da graça de Deus Pai, Filho e Espírito Santo. A Penitência ou Confissão refaz a vida de Deus em nós, da qual nos afastamos pelo pecado. A Unção dos Enfermos nos perdoa e nos dá a força para enfrentar os limites da vida humana. O Matrimônio santifica e consagra as pessoas para viverem o amor em comunidade-família. Pela Ordem consagra a pessoa para o ministério sagrado e a faz um outro Cristo. Quem participa dos sacramentos não faz favor, nem obrigação. É participar dos gestos de um Deus que nos ama e nos salva.

Leia na Bíblia: Jo 4,1-42; 15,1-11; Ef 4,17-24; 1Pd 2,9-10; Jo 16,7-15; Rm 8,1-39; Salmos 50 (49); 63(62); 115(113b); 145(144).

14. O BATISMO: O DOM DA FILIAÇÃO

"Tu és meu filho querido, eu te amo muito." (Mc 1,11)

1. **Pelo Batismo nascemos de novo.** É um novo nascimento para a vida com Deus Pai, Filho e Espírito Santo. Somos enxertados, como ramos na videira que é Cristo, e começa em nós vida nova. Assim como Cristo morreu e ressuscitou, também nós morremos com Cristo e com Ele nascemos para essa nova vida. São Paulo nos diz: "Com Cristo morremos para o pecado e com Ele nascemos para a vida nova" (Rm 6,2-4).

2. **Nós nos tornamos filhos de Deus em Jesus.** O Espírito Santo nos faz renascer como filhos no próprio Filho que é Jesus e n'Ele somos irmãos uns dos outros. O Batismo nos coloca dentro da comunidade-igreja. Somos convocados para viver no amor e pelo amor transformamos o mundo, criando a grande fraternidade.

3. **O Batismo é uma graça que não se repete.** Recebemos o Batismo uma vez só na vida. Depois de recebido, só podemos crescer nessa vida de comunhão com Deus. Uma vez que Deus nos adotou como filhos, Ele não volta atrás, mesmo que sejamos ingratos com Ele. É uma aliança com Deus que nos leva ao compromisso de amar as pessoas como filhos desse Pai e como nossos irmãos e na luta pela dignidade de todos.

4. **O Batismo nos faz membros do Povo de Deus.** Pelo Batismo pertencemos ao Povo de Deus e somos marcados para ser no mundo sacerdotes, profetas e reis à semelhança de Jesus. Somos ungidos como discípulos e apóstolos de Jesus. Temos que viver a pertença a esse Povo de Deus que é a Igreja e ser Igreja é anunciar o projeto de Deus que é a vida em fraternidade, denunciando tudo o que faz parte do mistério da iniquidade que escraviza e se opõe à ação libertadora de Deus.

5. **A Igreja Católica nos acolhe e torna-se nossa mãe na fé.** Devemos ser fiéis a essa Igreja que nos acolhe. Ela nos prepara para o batismo por meio de cursos para que seja um ato consciente. É importante participar das preparações para o Batismo e caminharmos juntos como Igreja.

6. **Testemunho de fé dos padrinhos.** É muito importante o testemunho de fé e vida dos padrinhos. Temos que escolher quem participa da comunidade e tem uma vida digna, pois eles devem acompanhar quem é batizado ensinando o caminho de Jesus. Os pais e padrinhos devem ser conscientes de suas obrigações e mostrar interesse na educação e formação do batizando. É preciso escolher bem os padrinhos; esse sacramento é por demais importante para ser transformado em ato social.

Leia a Bíblia: Mt 28,18-20; Jo 15,1-4; Rm 6,3-5; 1Cor 12,12-13; Mc 1,9-11; Jo 3,1-6; 4,5-14; 9,1-7; Gl 3,26-28; Ef 4,1-6; Cl 3,1-6; 1Pd 2,4-10; Salmos 23(22); 27(26); 34(33).

15. CRISMA: DOM DO ESPÍRITO SANTIFICADOR

"O amor de Deus foi derramado em nossos corações pelo seu Espírito Santo que habita em nós." (Rm 5,5)

1. **Recebendo seu Espírito podemos entender Jesus.** Jesus passou três anos anunciando que Deus é Pai e que seu Reino é de Amor, Fraternidade, Perdão e Justiça. Os apóstolos pouco entenderam de tudo o que viam e ouviam. Um dia eles receberam o Espírito Santo que lhes deu o entendimento da vida e das palavras de Jesus e também a força e a coragem para evangelizar.

2. **O sacramento da Crisma nos comunica o Espírito Santo.** O crisma é o sinal próprio do Espírito Santo, que penetra o espírito humano e o fortalece na fé, na esperança e no amor. Ele dá a força para se viver o compromisso com o projeto de Deus e a coragem de anunciar Jesus. Ele nos confirma na fé em Jesus Ressuscitado. Nós nos tornamos templos vivos da Santíssima Trindade (1Cor 6,19).

3. **O Espírito Santo nos santifica e nos faz missionários.** Ele nos fortalece para sermos testemunhas de Deus no mundo. Ele tira nossa vergonha e medo de pregar a Palavra de Jesus. Ele nos dá a coragem para denunciar, até com sacrifício da vida, tudo o que vai contra o projeto libertador de Deus.

4. **O Sacramento da Crisma nos fortalece para enfrentar a vida.** No Sacramento da Crisma confirmamos nossa opção por Jesus. De agora em diante cada um se torna o responsável pela sua vida cristã. Recebemos uma graça importante para que possamos achar nosso lugar e missão na Igreja e no mundo. Na fé da Igreja, na unção do óleo e na invocação do Espírito Santo recebemos a força de Deus para vivermos decididamente a nossa opção batismal de seguir Jesus.

Leia na Bíblia: Jo 14,15-27; 15,20-27; At 2,1-33; 19,1-6; Rm 8,5-27; Ef 4,11-15; Is 11,1-4; Ez 36,24-28; Lc 4,16-22; Gl 5, 16-25; Salmos 96(95); 104(103).

16. EUCARISTIA: UNIDOS EM CRISTO

"Já que há um único Pão, nós embora muitos somos um só Corpo, visto que todos participamos desse único Pão." (1Cor 10,17)

1. **A última ceia de Jesus é um rito permanente de seu amor pela sua comunidade.** Primeiramente Ele lavou os pés dos apóstolos como uma lição de amor. Em seguida tomou o Pão, deu graças ao Pai, dividiu esse pão entre os apóstolos dizendo: "Tomai e comei, isto é meu Corpo". E o mesmo fez com o vinho dizendo: "Tomai todos e bebei, esse é o cálice do meu sangue a ser derramado por vós e por todos". Esse Sangue era sinal da nova aliança do amor de Deus com as pessoas. Terminou dizendo: "Fazei isto em memória de mim" (Mt 26,26-29; Mc 14,22-25; Lc 22,19-20).

2. **Deus se deu a nós em forma humana e em forma de alimento.** Jesus mandou que renovassem sempre sua ceia como o sacrifício permanente, na qual Ele se apresenta ao Pai, atualizando seu ato salvífico, tornando presente a Salvação. Também quis permanecer conosco para ser nosso alimento de vida e de ressurreição. É um mistério da fé e do amor. Ele se fez comida e bebida para ficar conosco e ser nossa força libertadora (Jo 6,32-40).

3. **Toda vez que a comunidade realiza esse gesto da Ceia torna presente o acontecimento pascal.** A missa renova o sacramento da vida, morte e ressurreição de Jesus. Na Eucaristia a comunidade encontra seu ponto mais alto da vida cristã e um forte ponto de união. É por meio da Eucaristia que permanecemos UNIDOS EM CRISTO. Sem ela a comunidade cristã não existe. É o centro da vida cristã e para ela convergem os demais sacramentos. Cada vez que a comunidade se reúne para a Ceia, ela torna presente a graça da salvação que é Jesus. É importante participar da Eucaristia na comunidade e com a comunidade.

4. **A Eucaristia é sempre um ato comunitário.** É a comunidade que celebra o mistério pascal de Jesus e celebra

sua própria vida em cada Eucaristia. Deus nos reúne no amor de Cristo para ouvir a Palavra e para louvar e agradecer ao Pai. Assim Ele nos mergulha em sua vida e nos faz viver a fraternidade por meio do Corpo e Sangue do Senhor. Em um momento em que nossa vida ganha novo sentido e nova força, a participação não pode ser uma obrigação. Nessa hora em que renovamos a graça que salva que é Jesus, participar da Eucaristia é uma necessidade vital para quem quer chegar ao Pai e trabalhar na realização do projeto de amor de Deus.

Leia na Bíblia: Lc 22,14-22; 24,13-35; Jo 6,22-66; 1Cor 10,16-17; 11,18-34; Êx 12,1-14; 24,3-8; Mt 22,1-14; At 2,42-47; Ap 7, 9-14; Salmos 23(22); 116(115); 145(144).

17. RECONCILIAÇÃO: O DOM DO PERDÃO DIVINO

"Aqueles a quem perdoardes os pecados serão perdoados." (Jo 20,23)

1. **Deus nos quer felizes e vivendo na fraternidade**. Ele nos indicou o caminho e o meio para sermos felizes. Infelizmente o pecado é uma realidade. Mesmo sabendo erramos muitas vezes, desviando-nos do projeto de amor de Deus. Rompemos com tudo, acabamos fazendo mal para nós e para os outros. É a ilusão da felicidade, o grande engano.

2. **Existe um caminho de volta para o Pai.** O caminho de volta começa quando tomamos consciência de ter pecado. Assumimos nossa responsabilidade e pedimos perdão com sinceridade. O perdão sempre nos vem por Jesus por meio da comunidade. Jesus deixou a sua Igreja o poder de perdoar e reconciliar as pessoas com Deus. Ela, presidida pelo sacerdote, é sinal seguro do perdão e do abraço do Pai.

3. **Dois modos de celebração desse sacramento**. Na celebração comunitária toda a comunidade reza unida pedindo perdão. Na celebração individual, confessamos nossos pecados ao sacerdote como representante de Jesus e da comunidade. É importante reconhecer o pecado, arre-

pender-se e pedir perdão para receber o gesto de absolvição da Igreja. Mas é condição para que o Senhor nos perdoe, perdoar também aos nossos irmãos e pedir perdão a quem ofendemos. É o sacramento da misericórdia, no qual Deus mostra o quanto nos ama.

4. **Para se aproximar desse sacramento:**
• Examine bem sua consciência, compare sua vida com o Evangelho e verifique em que ela contraria a mensagem de Jesus.
• Esteja disposto a recomeçar. Arrepender-se quer dizer deixar os erros.
• Tenha o desejo de mudar. A conversão é um processo contínuo de crescimento para Deus.
• Volte à comunidade. Repare o mal que causou aos outros e volte a participar. A comunidade, apesar de pecadora, é o lugar do encontro com Deus e lhe dará forças para seguir em frente.
• Busque a reconciliação com as pessoas. Liberte-se do peso das ofensas e mágoas por meio do perdão que deve ser gratuito como é o perdão do Pai para você.

Leia na Bíblia: **Mc 2,15-17; Jo 20,19-23; Rm 6,2-13;** Êx 20,1-21; Eclo 28,1-7; Is 1,16-20; Ez 37,1-14; Mt 5,17-47; 18,15-35; 25,31-46; Lc 15, 1-32; Ef 4,22-32; Gl 5, 16-24; Cl 3,1-17; Tg 3,1-12; 1Jo 1,8-10; Salmos 25(24); 32(31); 51(50); 130(129); 139(138).

18. A ORDEM – O DOM DO SERVIÇO COMUNITÁRIO

"Vinde comigo, farei de vós pescadores de homens." (Mc 1,17)

1. **Cada um recebeu de Deus dons pessoais para servir a comunidade.** São os carismas ou dons do Espírito Santo, concedidos em vista do bem comum (1Cor 12,4-27). Quem ensina, quem cura, aconselha, ajuda, preside, seja profissional ou voluntariamente, está exercendo um carisma

sempre que o faz com e por amor às pessoas. É o exercício de um ministério, serviço para a comunidade.

2. **A ordem é um ministério sacramental.** É um chamado de Jesus a algumas pessoas para que consagrem sua vida a serviço da comunidade. É o ministério do Bispo, Sacerdote, Diácono que receberam o Sacramento da Ordem. Eles são consagrados e marcados pelo Espírito Santo, pela imposição das mãos, para falar e agir em nome de Jesus à semelhança dos apóstolos.

3. **Eles são convocados por Deus do meio da comunidade e para a comunidade.** Eles são consagrados para serem outros Cristos. Por isso Jesus lhes confiou o anúncio da Palavra e a celebração dos sacramentos, principalmente a Eucaristia e a Reconciliação que edificam a comunidade como o Corpo Vivo de Cristo.

4. **A comunidade deve pedir ao Senhor os ministros de que necessita.** É Deus que chama, mas a comunidade, assim como a família, deve criar nos jovens a generosidade para responder ao possível chamado de Deus. Faz parte da formação o respeito que a comunidade deve ter para com os sacerdotes, diáconos e seminaristas. A valorização desses ministros pode despertar nos jovens o desejo de se consagrarem e também ajuda na perseverança de quem já respondeu ao chamado. Embora ministros de Deus, têm suas fraquezas e defeitos, por isso precisam do apoio. A generosidade e o carinho da comunidade são o melhor apoio que devemos dar aos nossos seminaristas, diáconos, sacerdotes e bispos.

Leia na Bíblia: Jo 1, 35-39; 2Tm 4,1-5; Hb 5,1-4; Is 61,1-3; Jr 1,4-9; Mt 10,1-5; Lc 10,1-9; Jo 10,11-16; 17,6-19; At 6,1-7; 2Tm 1,6-14; Salmos 22(23); 23(24); 115(116).

19. O MATRIMÔNIO – DOM DO AMOR FIEL

"O que Deus uniu, o homem não separe." (Mt 19,6)

1. **O matrimônio é o sacramento que celebra o amor que naturalmente brota entre um homem e uma**

mulher cristãos. É uma vocação e uma consagração mútua de corpo e de coração. Há nele uma promessa de fidelidade para sempre. Deus os chama para serem uma comunidade familiar pelo serviço no amor. É a graça que transforma a vida do casamento em uma bênção para eles e para todos.

2. **Só o amor verdadeiro leva uma pessoa a se consagrar totalmente a outra, dando a vida para fazer o outro feliz.** Pelo sacramento, ambos se comprometem a serem instrumentos de salvação um para o outro, fazendo do lar uma pequena Igreja, onde Deus está presente.

3. **O Sacramento do Matrimônio acontece no dia a dia da vida dos dois.** A Bíblia fala que os "dois serão uma só carne, um só coração, uma só alma". A graça especial desse sacramento é a fidelidade em se amar e viver unidos até a morte. O matrimônio representa a aliança de Deus com a humanidade.

4. **O grande pecado no casamento é o egoísmo.** Ele leva a pessoa a pensar só em si. A ternura mútua, a preocupação em fazer o outro feliz envolvem a vida do casal e se multiplicam no carinho, no respeito, no diálogo e união sexual. Sempre fiéis um ao outro na alegria, na tristeza, na saúde e na doença o casal torna-se maduro e responsável para gerar e educar seus filhos. Assim a família é um espelho de Deus que é Pai, Filho e Espírito Santo.

5. **O Sacramento do Matrimônio é celebrado na comunidade, tendo como ministros os próprios noivos.** Eles são os ministros do sacramento, cuja validade vai depender da sinceridade de seus sentimentos e de sua fé. Na oração em comum, na participação da Eucaristia o casal fará crescer a graça recebida. Assim a família terá força para superar as dificuldades da vida moderna e as crises que aparecerem em seus lares.

Leia na Bíblia: Mt 5,27-32; 12,46-50; 19,3-12; 1Cor 7,1-16; Cl 3,12-21; Gn 2,18-24; Tb 8,5-10; Ef 5,21-33; Jo 2,1-11; Salmos 111(112); 126(127); 127(128).

20. UNÇÃO DOS ENFERMOS O DOM DA CURA-PERDÃO

"A oração da fé salvará o doente e o Senhor o porá de pé; e se tiver cometido pecados, estes lhe serão perdoados." (Tg 5,15)

1. **A situação de doença e velhice representa um momento de crise na existência humana.** Sentimos então o limite da vida na terra. Deus vem em nosso auxílio dando-nos o Sacramento da Unção dos Enfermos. Por meio da Unção, Jesus Ressuscitado, unido à comunidade se faz presente nesses momentos de dor, de velhice e de solidão.

2. **Jesus se apresenta a nós nesse sacramento como grande esperança.** Só Ele pode dar sentido à dor humana, perdoar os pecados, aliviar os sofrimentos e até devolver a saúde corporal. Ele concede sempre serenidade ao nosso espírito, levanta nosso ânimo por maior que seja o sofrimento (Tg 5,14-15).

3. **A doença e a velhice não são uma infelicidade.** Ao percebermos o limite de nossa existência, conscientizamo-nos de que somos peregrinos neste mundo a caminho da casa do Pai. Aprendemos então a relativizar as coisas que achávamos importantes e a buscar o único necessário da vida. O sacramento da Unção fortalece essa nossa fé e nos enche de confiança na bondade de Deus.

4. **Jesus é o Senhor da vida.** Ele é nossa força, nosso consolo e nosso modelo até no sofrimento. A sua Ressurreição é nossa segurança, porque com Ele participamos da sua vitória sobre a morte (1Cor 15,52-58; Rm 8,35-39).

5. **A comunidade deve ter o maior carinho com os doentes e idosos.** Ela deve ter a iniciativa de procurá-los, assisti-los, principalmente por meio dos setores ou grupos. Uma palavra de consolo, um gesto de amor faz o que Jesus pediu: "Estive doente e me visitaste" (Mt 25,36).

Leia na Bíblia: Tg 5,14-15; Mt 8,14-17; Jo 12,24-28; At 3,1-10; Is 52,13-15; 53,12; Mt 11,25-30; 26,36-46; Mc 2,1-12; Lc 10,25-37; Rm 6,3-8; 8,14-27; 1Cor 15,12-20; 2Cor 5,1-10; Salmos 6; 30(31); 40(41); 70(71); 89(90).

21. A SANTÍSSIMA TRINDADE

"Crede em mim, Eu estou no Pai e o Pai está em mim" (Jo 14,11)

1. **Cremos em um Deus: Pai, Filho e Espírito Santo.** Assim percebemos que Deus é uma família, que chamamos Santíssima Trindade: Deus que é Pai, Deus que é Filho e Deus que é Espírito Santo. É o mistério mais profundo de nossa fé e é a fonte dos outros mistérios que não conseguimos entender.

Quando falamos da Santíssima Trindade usamos uma linguagem simbólica, porque nosso modo de falar não expressa a grandeza de Deus.

Crer na Santíssima Trindade é um ato de fé, baseado na revelação da Bíblia, explicitada pela Igreja. Jesus falou várias vezes e de um modo que não chegamos a compreender: "Eu e o Pai somos um" – "Vou enviar a vocês um Espírito Consolador".

2. **Cremos em um só Deus em três Pessoas distintas.** Deus não tem princípio nem fim. Ele é primeiro e o início de tudo. O Pai é essência que se ama e esse amor é o Filho. Da relação amorosa entre o Pai e o Filho procede o Espírito Santo. Para nós isso daria a entender que um vem antes do outro e seria diferente um do outro, mas as três Pessoas são uma única substância que chamamos Deus. Ninguém é primeiro e nem último. Assim cremos que o Pai é Deus, o Filho é Deus e o Espírito Santo é Deus. Cremos em um só Deus em três Pessoas distintas.

3. **Cremos na Palavra de Deus e na Igreja.** Jamais vamos compreender Deus, por isso nos firmamos na fé que nasce das Palavras na Bíblia: "Crestes que saí do Pai..." outra vez... "Vou para o Pai" (Jo 16,28); "Para que sejam um, como Tu, ó Pai, o és em mim e eu em Ti" (Jo 17,21); "Crede em mim, Eu estou no Pai e o Pai está em mim" (Jo 14,8-11).

João diz no começo de seu evangelho: "No princípio existia a Palavra, a Palavra estava em Deus, a Palavra era Deus... a Palavra se fez carne e habitou entre nós". Essa

Palavra é Jesus Cristo, a segunda Pessoa da santíssima trindade, que existia ao mesmo tempo que o Pai e o Espírito Santo que deu vida a tudo. Hoje vemos Deus como por meio de um espelho (1Cor 13,12), porque a criação é um livro no qual resplandeceu a ação da Trindade Santa.

4. **Cremos que o próximo é para nós imagem da Trindade.** A Bíblia fala que somos templos vivos da Trindade. A vida da Trindade é relação de amor, por isso Ela nos ensina a vivermos com os outros e com tudo, um relacionamento interpessoal de amor e igualdade. O próximo é para nós a imagem da Trindade, por isso aprendemos a nos relacionar com amor e respeito. Não somos só imagem, mas a Trindade está em nós.

5. **Cremos e buscamos a Santíssima Trindade.** A nossa grande vocação é transformar nossa vida num eterno louvor e ação de graças. Adoramos de coração e com nossos atos a Santíssima Trindade. Assim fazemos de nossa alegria de viver um grande louvor. Todos os dias traçamos sobre nós o sinal da cruz dizendo o que cremos: Somos a Igreja, Povo de Deus unido pela unidade do Pai, do Filho e do Espírito Santo. Amém.

Leia na Bíblia: Jo 14,8-11; Jo 17,1-19; 1Jo 4,13; 1Cor 8,6.

22. O ESPÍRITO SANTO

"O amor de Deus foi derramado em nossos corações pelo Espírito Santo que nos foi dado." (Rm 5,5)

1. **O Espírito sempre existiu.** No dia de Pentecostes se revela plenamente a Santíssima Trindade (Ef 2,18). Já havia várias indicações na Bíblia sobre o Espírito Santo: Ele aparece no começo do mundo como o Espírito que dá a vida. Aparece no batismo de Jesus, em forma de pomba e luz. Aparece de novo sobre os apóstolos reunidos após a ascenção de Jesus, e dá a eles a sabedoria para compreenderem Jesus e a força para anunciarem o Reino de Deus. Jesus tinha prometido aos apóstolos que enviaria o Espírito Consolador que lhes ensinaria todas as coisas.

2. O Espírito Santo é Deus

Ouvimos falar e cremos em um Deus Uno e Trino. Isso quer dizer que há um só Deus em três Pessoas distintas. A terceira pessoa da Santíssima Trindade é o Espírito Santo. Ele procede da relação de amor do Pai e do Filho. O Pai e o Filho existem no Espírito (Rm 8,11 e Gl 4,6) e Ele é pessoalmente a intimidade divina.

O Espírito Santo é o Deus amor. Ele é a expressão amorosa do Pai e do Filho, e Ele se derrama em nossos corações fazendo que habite em nós a Trindade.

3. O Espírito Santo ontem, hoje e sempre.

O Espírito Santo é Criador. Por meio do sopro divino o mundo foi feito. Ele nos comunica a vida e nos conduz a sermos imagens e semelhança de Deus.

Pela força do Espírito, Maria concebeu e deu à luz a Jesus. Ele O santificou e O conduziu para fazer a vontade do Pai até consumar as Escrituras. Ele foi o centro da experiência da filiação divina completada em Jesus no seu batismo: "Este é meu Filho amado". Ele é a força de Deus que congrega a comunidade e da qual é o agente principal da evangelização.

4. O Espírito Santo é o coração da vida cristã.

A Comunidade é o lugar privilegiado do Espírito Santo. Ele é o Santificador e dinamizador que pela sua força do Espírito a governa e conduz. É Ele que opera a distribuição das graças e serviços (1Cor 12,4-11) e edifica o Corpo Místico de Cristo (Ef 4,12).

O Espírito de Deus é o santificador; Ele renova todas as coisas e nos conduz na santidade. Caminhamos guiados pela luz do Espírito. Ele nos leva a clamar; "Abba, Pai querido" (Gl 4,6-7).

5. O Espírito Santo é a sabedoria que nos vem de Deus

Em todos os momentos de nossa vida precisamos pedir a Sabedoria de Deus. Sem a luz de seu Espírito podemos caminhar para o abismo. Movidos por Ela, somos capazes de amar até o nosso inimigo. Iluminados por Ele saberemos discernir o caminho da felicidade na busca e valorização da presença de Deus em cada pessoa.

6. **Se vivemos pelo Espírito, sigamos também o Espírito (Gl 5,25).**

A obra santificadora do Espírito realiza-se mediante a graça que é o dom gratuito que Deus nos fez de sua vida. Ele nos leva a desenvolver em nós o amor por meio do nosso agir: "O amor de Deus foi derramado em nossos corações pelo Espírito Santo que nos foi dado" (Rm 5,5).

Nossos caminhos é deixar-nos conduzir pelo Espírito. Ele nos levará pelos caminhos das bem-aventuranças (Mt 5,3-10); nos faz ter olhos limpos para ver a realidade; ensina-nos a termos compaixão, a solidarizarmo-nos com os fracos e a sermos desprendidos para a partilha, vivendo na simplicidade de vida como testemunho de valores alternativos ao mundo de hoje. Rezemos sempre: "Espírito Santo, sede minha força e minha luz".

Leia na Bíblia: Rm 5,5; Gl 5,25; Gl 4,6-7; 1Cor 12,4-11; 1Jo 4,13; Ef 4,3; Ef 2,18.

OS MANDAMENTOS DA LEI DE DEUS

1. Amar a Deus sobre todas as coisas.
2. Não tomar seu santo Nome em vão.
3. Guardar os domingos e dias santos.
4. Honrar pai e mãe.
5. Não matar.
6. Não pecar contra a castidade.
7. Não roubar.
8. Não levantar falso testemunho.
9. Não desejar a mulher (ou o marido) do próximo.
10. Não cobiçar as coisas alheias.

Esses Mandamentos nos foram dados no Antigo Testamento. Quando Jesus veio até nós, Ele nos ensinou que todos os 10 Mandamentos, assim como todas as demais prescrições e tradições, estão contidos nestes dois:

— **"Amarás ao Senhor teu Deus de todo o teu coração, com toda a tua alma e com todo o teu entendimento,**

— **e a teu próximo como a ti mesmo"** (Mt 22,34-40). Em relação ao amor ao próximo, Jesus voltou a acentuar: **"Eis que Eu vos dou um novo Mandamento: que vos ameis uns aos outros, assim como Eu vos amei"** (Jo 13,34).

OS MANDAMENTOS DA IGREJA

São obrigações e compromissos mínimos para que um cristão possa considerar-se membro participante da Igreja:

1. Participar da missa inteira nos domingos e outras festas de guarda e abster-se de ocupações de trabalho.
2. Confessar-se ao menos uma vez por ano.
3. Receber o sacramento da Eucaristia ao menos pela Páscoa da ressurreição.
4. Jejuar e abster-se de carne, conforme manda a Santa Mãe Igreja.
5. Ajudar a Igreja em suas necessidades.

DIAS DE PENITÊNCIA DE TODA A IGREJA: Jejum e abstinência: os dias e tempos penitenciais são todas as sextas-feiras do ano e o tempo da quaresma, inclusive na Quarta-feira de Cinzas e Sexta-feira Santa; o jejum é proposto para os adultos de 18 a 60 anos; a abstinência de carne é proposta para todos a partir dos 14 anos. Conforme orientação da CNBB, os fiéis podem substituir a abstinência de carne por uma obra de caridade, um ato de piedade ou comutar a carne por um outro alimento.

VIRTUDES: — TEOLOGAIS: Fé, Esperança e Caridade.
— CARDEAIS: Prudência, Justiça, Fortaleza e Temperança.

VÍCIOS CAPITAIS: 1. Soberba 2. Avareza 3. Erotismo
4. Inveja 5. Gula 6. Ira 7. Preguiça.

PECADOS HEDIONDOS:
1. Homicídio voluntário.
2. Pecado sexual contra a natureza.
3. Oprimir os pobres, órfãos e viúvas.
4. Negar o justo salário aos que trabalham.

OBRAS DE MISERICÓRDIA (Mt 25,31-46):
Corporais:
1. Dar de comer a quem tem fome.
2. Dar de beber a quem tem sede.
3. Vestir os nus.
4. Dar abrigo aos peregrinos.
5. Visitar os doentes e encarcerados.
6. Libertar os escravizados.
7. Sepultar os mortos.

Espirituais:
1. Dar bom conselho.
2. Ensinar os que não sabem.
3. Corrigir os que erram.
4. Consolar os aflitos.
5. Perdoar as ofensas.
6. Suportar as fraquezas do próximo.
7. Orar pelos vivos e defuntos.

OS SETE DONS DO ESPÍRITO SANTO:
1. Sabedoria. 2. Entendimento. 3. Conselho. 4. Fortaleza. 5. Ciência. 6. Piedade. 7. Temor de Deus.

ORAÇÕES

ORAÇÃO DA MANHÃ

Em nome do Pai e do Filho e do Espírito Santo. Amém. **Senhor Deus, nosso Pai, nós cremos em vós.** Nós esperamos em vós. **Nós vos amamos.** Nós vos agradecemos mais este dia que começa. **Nós vos damos graças, porque estamos com vida e nós vos oferecemos este dia com todas as nossas alegrias e sofrimentos, com todos os nossos trabalhos e divertimentos.** Guardai-nos do pecado e fazei de nós um instrumento da vossa paz e do vosso amor. **Ajudai-nos a observar os vossos mandamentos. Amém.**

Reze três ave-marias a Nossa Senhora, com a jaculatória:
Ó Maria, concebida sem pecado, rogai por nós que recorremos a vós!

O ANJO DO SENHOR
V. O anjo do Senhor anunciou a Maria.
R. E ela concebeu do Espírito Santo. Ave, Maria...
V. Eis aqui a serva do Senhor.
R. Faça-se em mim segundo a vossa palavra.
V. E o verbo se fez carne.
R. E habitou entre nós.
V. Rogai por nós, Santa Mãe de Deus.
R. Para que sejamos dignos das promessas de Cristo.
Oremos. Infundi, Senhor, vos rogamos, a vossa graça em nossos corações, para que nós, que conhecemos pela anunciação do anjo a encarnação de Jesus Cristo, vosso Filho, por sua paixão e morte na Cruz, cheguemos à glória da ressurreição. Pelo mesmo Cristo, nosso Senhor. Amém.

RAINHA DO CÉU (no Tempo Pascal)
V. Rainha do Céu, alegrai-vos, aleluia.
R. Porque Aquele que merecestes trazer em vosso puríssimo seio, aleluia.
V. Ressuscitou, como disse, aleluia.
R. Rogai a Deus por nós, aleluia.
V. Exultai e alegrai-vos, ó Virgem Maria, aleluia.
R. Porque o Senhor ressuscitou verdadeiramente, aleluia.
Oremos. Ó Deus, que vos dignastes alegrar o mundo com a ressurreição de vosso Filho Jesus Cristo, Senhor nosso,

concedei-nos, Vo-lo suplicamos, que por sua Mãe, a Virgem Maria, alcancemos os prazeres da vida eterna. Pelo mesmo Cristo, nosso Senhor. Amém.

ORAÇÃO AO ANJO DA GUARDA: Santo Anjo do Senhor, meu zeloso guardador, se a ti me confiou a piedade divina, sempre me rege, guarda, governa e ilumina. Amém.

ORAÇÕES DO CRISTÃO

SINAL DA CRUZ: Pelo sinal † da Santa Cruz, livrai-nos, Deus † Nosso Senhor, dos nossos † inimigos. Em nome do Pai e do Filho e do Espírito Santo. Amém.

PAI-NOSSO: Pai nosso, que estais nos céus, santificado seja o vosso nome; venha a nós o vosso reino; seja feita a vossa vontade, assim na terra como no céu.
O pão nosso de cada dia nos dai hoje; perdoai-nos as nossas ofensas; assim como nós perdoamos a quem nos tem ofendido. Não nos deixeis cair em tentação. Mas livrai-nos do mal. Amém.

AVE-MARIA: Ave, Maria, cheia de graça, o Senhor é convosco, bendita sois vós entre as mulheres e bendito é o fruto do vosso ventre, Jesus.
Santa Maria, Mãe de Deus, rogai por nós, pecadores, agora e na hora de nossa morte. Amém.

GLÓRIA AO PAI: Glória ao Pai, ao Filho e ao Espírito Santo. Como era no princípio, agora e sempre. Amém.

ORAÇÃO AO ESPÍRITO SANTO: Vinde, Espírito Santo, enchei os corações dos vossos fiéis e acendei neles o fogo do vosso amor. Enviai o vosso Espírito e tudo será criado. E renovareis a face da terra.
Oremos. Deus, que instruístes os corações dos vossos fiéis com a luz do Espírito Santo, fazei que apreciemos retamente

todas as coisas segundo o mesmo Espírito e gozemos sempre da sua consolação. Por Cristo, Senhor nosso. Amém.

SALVE, RAINHA: Salve, Rainha, Mãe de misericórdia, vida, doçura e esperança nossa, salve! A vós bradamos, os degredados filhos de Eva; a vós suspiramos, gemendo e chorando neste vale de lágrimas. Eia, pois, Advogada nossa, esses vossos olhos misericordiosos a nós volvei e depois deste desterro mostrai-nos Jesus, bendito fruto do vosso ventre, ó clemente, ó piedosa, ó doce e sempre Virgem Maria! Rogai por nós, Santa Mãe de Deus, para que sejamos dignos das Promessas de Cristo. Amém.

ATO DE FÉ: Ó meu Deus, creio em vós, porque sois a Verdade eterna. Creio em tudo o que a Santa Igreja me ensina. Aumentai a minha fé!

ATO DE ESPERANÇA: Ó meu Deus, espero em vós, porque, sendo infinitamente poderoso e misericordioso, sois sempre fiel em vossas Promessas. Fortificai a minha esperança!

ATO DE AMOR: Ó meu Deus, eu vos amo de todo o meu coração, porque sois infinitamente bom e amável. Por vosso amor amo também ao meu próximo. Inflamai o meu amor!

ATO DE CONTRIÇÃO: Senhor, eu me arrependo sinceramente do mal que pratiquei e do bem que deixei de fazer. Reconheço que ofendi a Vós, meu Deus e Senhor, e prejudiquei o meu próximo. Prometo, ajudado pela vossa graça, não mais pecar e reparar o mal que pratiquei. Pela paixão e morte de Jesus, tende piedade de mim e perdoai-me. Amém.

ORAÇÃO PARA AS REFEIÇÕES: ANTES: Abençoai-nos, Senhor, e a este alimento que vamos tomar, graças a vossa bondade. Pai Nosso...
DEPOIS: Nós vos agradecemos, Deus todo-poderoso, todos os benefícios que nos fizestes, especialmente este alimento que acabamos de tomar. Ave, Maria...

ORAÇÃO DA NOITE: Ó meu Deus, eu vos amo de todo o meu coração. Dou-vos graças por todos os benefícios que me fizestes, especialmente por me haverdes feito cristão e conservado durante este dia. Creio em vós. Espero em vós. Ofereço-vos tudo o que hoje fiz de bom e peço-vos que me livreis de todo o mal. *(Exame de consciência.)*

DEVOÇÃO DO ROSÁRIO

Em nome do Pai...
Oferecimento: Divino Jesus, eu vos ofereço este terço que vou rezar contemplando os mistérios de nossa Redenção. Concedei-me, pela intercessão de Maria Santíssima, a quem me dirijo, as virtudes necessárias para bem rezá-lo e a graça de ganhar as indulgências anexas a esta devoção. **Creio em Deus Pai**, **Pai-nosso** e **3 Ave-Marias**.

1º TERÇO: MISTÉRIOS DA ALEGRIA *(2ªs feiras e sábados)*

Primeiro Mistério: No primeiro mistério contemplamos a anunciação do anjo a Nossa Senhora e aprendemos dela a virtude da humildade.
Leitura da Bíblia: Evangelho de S. Lucas 1,26-38.
Pai-Nosso, 10 Ave-marias, Glória ao Pai e a oração:
Ó meu Jesus, perdoai-nos, livrai-nos do fogo do inferno, levai as almas todas para o céu e socorrei principalmente as que mais precisarem.

Segundo Mistério: No segundo mistério contemplamos a visita de Nossa Senhora a Santa Isabel e aprendemos dela a caridade para com o próximo.
Leitura da Bíblia: Evangelho de S. Lucas 1,39-56.

Terceiro Mistério: No terceiro mistério contemplamos o nascimento de Jesus em Belém e aprendemos a resignação na pobreza e o desapego dos bens terrenos.
Leitura da Bíblia: Evangelho de S. Lucas 2,1-16.

Quarto Mistério: No quarto mistério contemplamos a apresentação de Jesus no templo e a purificação de Nossa Senhora e aprendemos a obediência e a pureza.
Leitura da Bíblia: Evangelho de S. Lucas 2,22-39.

Quinto Mistério: No quinto mistério contemplamos o encontro de Jesus no templo e aprendemos a procurar Deus em todos os caminhos e em todas as coisas.
Leitura da Bíblia: Evangelho de S. Lucas 2,41-52.

2º TERÇO: MISTÉRIOS DA DOR *(3as e 6as feiras)*

Primeiro Mistério: No primeiro mistério contemplamos a agonia de Jesus no Jardim das Oliveiras e pedimos a graça da conversão de nossa vida.
Leitura da Bíblia: Evangelho de S. Mateus 26,36-46.

Segundo Mistério: No segundo mistério contemplamos a flagelação de Jesus e aprendemos a praticar a mortificação dos sentidos.
Leitura da Bíblia: Evangelho de S. Marcos 15,12-15.

Terceiro Mistério: No terceiro mistério contemplamos a coroação de espinhos de Jesus Cristo e aprendemos a combater o nosso orgulho e egoísmo.
Leitura da Bíblia: Evangelho de S. Mateus 27,27-30.

Quarto Mistério: No quarto mistério contemplamos a Jesus carregando a cruz para o calvário e aprendemos a paciência nos contratempos e injustiças da vida.
Leitura da Bíblia: Evangelho de S. João 19,17-22.

Quinto Mistério: No quinto mistério contemplamos a crucificação e a morte de Jesus e aprendemos a ter amor a Deus e horror ao pecado.
Leitura da Bíblia: Evangelho de S. João 19,25-30.

3º TERÇO: MISTÉRIOS DA LUZ *(5ªˢ feiras)*

Primeiro Mistério: Por meio do Batismo, Jesus assume o compromisso de ser "vida" para todos. O Pai confirma esse compromisso, afirmando que Ele é o Filho amado e enviado para essa missão, e aprendemos que devemos rezar para que os jovens saibam descobrir sua vocação.
Leitura da Bíblia: Evangelho de S. Marcos 1,9-11.

Segundo Mistério: Jesus se revela nas Bodas de Caná. Somos chamados a transformar nossa vida em função da vida para todos, assim como a água foi transformada em vinho. Foi o que fizeram Maria e Jesus para que os noivos e todos na festa ficassem contentes, e aprendemos a nos despertar para a alegria de servir a Deus e aos irmãos.
Leitura da Bíblia: Evangelho de S. João 2,1-12.

Terceiro Mistério: Jesus anuncia o Reino de Deus. Jesus não só proclama o Reino de Deus, mas afirma que essa boa nova já se encontra no meio de nós; basta vivê-la e aprendemos a rezar por todos os que se dedicam ao trabalho do Reino de Deus.
Leitura da Bíblia: Evangelho de S. Lucas 17,20-21.

Quarto Mistério: A transfiguração de Jesus. O coração transparente, sincero, carregado de amor, é fundamental para todos exclamarem: "é muito bom estarmos aqui" e aprendemos a nos despertar para a solidariedade aos menos favorecidos.
Leitura da Bíblia: Evangelho de S. Lucas 9,28-36.

Quinto Mistério: Jesus institui a Eucaristia na Ceia Pascal. A Eucaristia nos convida a fazermos da vida uma partilha; todos merecem ter o prazer de saciar sua fome e aprendemos a rezar pedindo operários para a messe do Senhor.
Leitura da Bíblia: Evangelho de S. Lucas 22,14-20.

4º TERÇO: MISTÉRIOS DA GLÓRIA (4ªs feiras e domingos)

Primeiro Mistério: No primeiro mistério contemplamos a ressurreição de Jesus Cristo e aprendemos a praticar as virtudes da fé e da confiança em Deus.
Leitura da Bíblia: Evangelho de S. João 20,11-18.

Segundo Mistério: No segundo mistério contemplamos a ascensão de Jesus Cristo ao céu e aprendemos a aumentar a esperança e o desejo do céu.
Leitura da Bíblia: Atos dos Apóstolos 1,1-11.

Terceiro Mistério: No terceiro mistério contemplamos a vinda do Espírito Santo sobre os Apóstolos e aprendemos a ter zelo pela salvação dos irmãos.
Leitura da Bíblia: Atos dos Apóstolos 2,1-13.

Quarto Mistério: No quarto mistério contemplamos a assunção de Maria ao céu e lhe pedimos que nos alcance uma boa morte.
Leitura da Bíblia: Gênesis 3,6-15.

Quinto Mistério: No quinto mistério contemplamos a coroação de Nossa Senhora como rainha do céu e da terra e lhe pedimos a graça da perseverança final.
Leitura da Bíblia: Apocalipse 12,1.

Agradecimento: Infinitas graças vos damos, Soberana Rainha, pelos benefícios que todos os dias recebemos de vossas mãos liberais. Dignai-vos, agora e sempre, tomar-nos debaixo do vosso poderoso amparo e, para mais vos obrigar, vos saudamos com uma: **Salve, Rainha**... (p. 40).

CELEBRAÇÕES — A SANTA MISSA

DEUS NOS REÚNE

1. SAUDAÇÃO
Sacerdote: Em nome do Pai, do Filho e do Espírito Santo.
Todos: Amém.
S.: A graça de nosso Senhor Jesus Cristo, o amor do Pai e a comunhão do Espírito Santo estejam convosco!
T.: Bendito seja Deus que nos reuniu no amor de Cristo!

2. ATO PENITENCIAL
S.: Irmãos e irmãs, reconheçamos os nossos pecados, para celebrarmos dignamente os santos mistérios.
(Pausa) Confessemos os nossos pecados:
T.: Confesso a Deus todo-poderoso e a vós, irmãos e irmãs, que pequei muitas vezes por pensamentos e palavras, atos e omissões, por minha culpa, minha culpa, minha tão grande culpa. E peço à Virgem Maria, aos anjos e santos e a vós, irmãos e irmãs, que rogueis por mim a Deus, nosso Senhor.
S.: Deus todo-poderoso tenha compaixão de nós, perdoe os nossos pecados e nos conduza à vida eterna.
T.: Amém.
S.: Senhor, tende piedade de nós. Ou: *Kýrie*, eléison.
T.: Senhor, tende piedade de nós.
S.: Cristo, tende piedade de nós. Ou: *Christe*, eléison.
T.: Cristo, tende piedade de nós.
S.: Senhor, tende piedade de nós. Ou: *Kýrie*, eléison.
T.: Senhor, tende piedade de nós.

3. HINO DE LOUVOR:
Glória a Deus nas alturas,/ **e paz na terra aos homens por ele amados.**/ Senhor Deus, Rei dos céus, Deus Pai todo-poderoso./ **Nós vos louvamos,**/ nós vos bendizemos,/ **nós vos adoramos,**/ nós vos glorificamos,/ **nós vos damos graças por vossa imensa glória,**/ Senhor

Jesus Cristo, Filho Unigênito./ **Senhor Deus, Cordeiro de Deus, Filho de Deus Pai.**/ Vós que tirais o pecado do mundo, tende piedade de nós./ **Vós que tirais o pecado do mundo, acolhei a nossa súplica.**/ Vós que estais à direita do Pai, tende piedade de nós./ **Só vós sois o Santo.**/ Só vós, o Senhor./ **Só vós, o Altíssimo. Jesus Cristo,**/ com o Espírito Santo, na glória de Deus Pai./ **Amém.**

4. ORAÇÃO

DEUS NOS FALA

5. LEITURAS (Texto próprio)
No fim o leitor diz: Palavra do Senhor!
T.: Graças a Deus!

6. EVANGELHO (Texto próprio)
S.: O Senhor esteja convosco!
T.: Ele está no meio de nós!
S.: Proclamação do Evangelho de Jesus Cristo, † escrito por...
T.: Glória a vós, Senhor!

S.: Palavra da Salvação!
T.: Glória a vós, Senhor!

7. PROFISSÃO DE FÉ: Creio em Deus Pai todo-poderoso, criador do céu e da terra;/ **e em Jesus Cristo, seu único Filho, nosso Senhor;/** que foi concebido pelo poder do Espírito Santo;/ **nasceu da Virgem Maria,/** padeceu sob Pôncio Pilatos,/ foi crucificado, morto e sepultado;/ desceu à mansão dos mortos;/ **ressuscitou ao terceiro dia;/** subiu aos céus, está sentado à direita de Deus Pai todo-poderoso,/ **donde há de vir a julgar os vivos e os mortos;/** creio no Espírito Santo,/ **na santa Igreja católica,/** na comunhão dos santos,/ na remissão dos pecados,/ na ressurreição da carne, na vida eterna./ **Amém.**

8. ORAÇÃO DA COMUNIDADE

COM CRISTO AO PAI

9. PREPARAÇÃO DAS OFERENDAS
S.: Bendito sejais, Senhor Deus do universo, pelo pão que recebemos da vossa bondade, fruto da terra e do trabalho humano, que agora vos apresentamos e para nós se vai tornar pão da vida.
T.: Bendito seja Deus para sempre!
S.: Bendito sejais, Senhor, Deus do universo, pelo vinho que recebemos de vossa bondade, fruto da videira e do trabalho humano, que agora vos apresentamos e para nós se vai tornar vinho da salvação.
T.: Bendito seja Deus para sempre!

10. ORAI, IRMÃOS E IRMÃS...
T.: Receba o Senhor por tuas mãos este sacrifício,/ para a glória do seu nome,/ para nosso bem/ e de toda a sua santa Igreja.

11. ORAÇÃO EUCARÍSTICA II
S.: O Senhor esteja convosco.
T.: Ele está no meio de nós.
S.: Corações ao alto.
T.: O nosso coração está em Deus.
S.: Demos graças ao Senhor, nosso Deus.
T.: É nosso dever e nossa salvação.
S.: Na verdade, é digno e justo, é nosso dever e salvação dar-vos graças sempre e em todo lugar, Senhor, Pai santo, por vosso amado Filho, Jesus Cristo. Ele é a vossa Palavra, pela qual tudo criastes. Ele é o nosso Salvador e Redentor, que se encarnou pelo Espírito Santo e nasceu da Virgem Maria. Ele, para cumprir a vossa vontade e adquirir para vós um povo santo, estendeu os braços na hora da sua paixão, a fim de vencer a morte e manifestar a ressurreição. Por isso, com os Anjos e todos os Santos, proclamamos vossa glória, cantando (dizendo) a uma só voz:

T.: **Santo, Santo, Santo, Senhor, Deus do universo. O céu e a terra proclamam a vossa glória. Hosana nas alturas! Bendito o que vem em nome do Senhor! Hosana nas alturas!**
S.: Na verdade, ó Pai, vós sois Santo, fonte de toda santidade. Santificai, pois, estes dons, derramando sobre eles o vosso Espírito, a fim de que se tornem para nós o Corpo e † o Sangue de nosso Senhor Jesus Cristo.
T.: **Enviai o vosso Espírito Santo!**
S.: Estando para ser entregue e abraçando livremente a paixão, Jesus tomou o pão, pronunciou a bênção de ação de graças, partiu e o deu a seus discípulos, dizendo:
TOMAI, TODOS, E COMEI: ISTO É O MEU CORPO, QUE SERÁ ENTREGUE POR VÓS.
Do mesmo modo, no fim da ceia, ele tomou o cálice em suas mãos e, dando graças novamente, o entregou a seus discípulos, dizendo:
TOMAI, TODOS, E BEBEI: ESTE É O CÁLICE DO MEU SANGUE, O SANGUE DA NOVA E ETERNA ALIANÇA, QUE SERÁ DERRAMADO POR VÓS E POR TODOS PARA REMISSÃO DOS PECADOS. FAZEI ISTO EM MEMÓRIA DE MIM.
S.: Mistério da fé!
T.: **Anunciamos, Senhor, a vossa morte e proclamamos a vossa ressurreição. Vinde, Senhor Jesus!**
S.: Celebrando, pois, o memorial da morte e ressurreição do vosso Filho, nós vos oferecemos, ó Pai, o Pão da vida e o Cálice da salvação; e vos agradecemos porque nos tornastes dignos de estar aqui na vossa presença e vos servir.
T.: **Aceitai, ó Senhor, a nossa oferta!**
S.: Suplicantes, vos pedimos que, participando do Corpo e Sangue de Cristo, sejamos reunidos pelo Espírito Santo num só corpo.
T.: **O Espírito nos una num só corpo!**
S.: Lembrai-vos, ó Pai, da vossa Igreja que se faz presente pelo mundo inteiro;* que ela cresça na caridade, em comunhão com o Papa N., com o nosso Bispo N., os bispos do

mundo inteiro, os presbíteros, os diáconos e todos os ministros do vosso povo.
T.: Lembrai-vos, ó Pai, da vossa Igreja!
(Domingos) **S.:** Lembrai-vos, ó Pai, da vossa Igreja que se faz presente pelo mundo inteiro; e aqui convocada no dia em que Cristo venceu a morte e nos fez participantes de sua vida imortal;*
S.: Lembrai-vos também, na vossa misericórdia, dos (outros) nossos irmãos e irmãs que adormeceram na esperança da ressurreição e de todos os que partiram desta vida; acolhei-os junto a vós na luz da vossa face.
T.: Concedei-lhes, ó Senhor, a luz eterna!
S.: Enfim, nós vos pedimos, tende piedade de todos nós e dai-nos participar da vida eterna, com a Virgem Maria, Mãe de Deus, São José, seu esposo, os Apóstolos, (São N.: Santo do dia ou padroeiro) e todos os Santos que neste mundo viveram na vossa amizade, a fim de vos louvarmos e glorificarmos por Jesus Cristo, vosso Filho.
S.: Por Cristo, com Cristo, e em Cristo, a vós, Deus Pai todo-poderoso, na unidade do Espírito Santo, toda honra e toda glória, por todos os séculos dos séculos. **T.: Amém.**

12. RITO DA COMUNHÃO
S.: Rezemos, com amor e confiança, a oração que o Senhor Jesus nos ensinou:
T.: Pai nosso...
S.: Livrai-nos de todos os males, ó Pai, e dai-nos hoje a vossa paz. Ajudados pela vossa misericórdia, sejamos sempre livres do pecado e protegidos de todos os perigos, enquanto aguardamos a feliz esperança e a vinda de nosso Salvador, Jesus Cristo.
T.: Vosso é o reino, o poder e a glória para sempre!
S.: Senhor Jesus Cristo, dissestes aos vossos Apóstolos: "Eu vos deixo a paz, eu vos dou a minha paz". Não olheis os nossos pecados, mas a fé que anima vossa Igreja; dai-lhe, segundo o vosso desejo, a paz e a unidade. Vós, que sois Deus, com o Pai e o Espírito Santo. **Amém.**
S.: A paz do Senhor esteja sempre convosco!
T.: O amor de Cristo nos uniu.

S.: Meus irmãos, saudai-vos uns aos outros em Cristo.
T.: Cordeiro de Deus,/ que tirais o pecado do mundo,/ tende piedade de nós./ Cordeiro de Deus,/ que tirais o pecado do mundo,/ tende piedade de nós./ Cordeiro de Deus,/ que tirais o pecado do mundo,/ dai-nos a paz.
S.: Felizes os convidados para a ceia do Senhor! Eis o Cordeiro de Deus, que tira o pecado do mundo.
T.: Senhor, eu não sou digno de que entreis em minha morada, mas dizei uma palavra e serei salvo.

Ao dar a hóstia o ministro diz: O Corpo de Cristo!
Quem vai comungar responde, num ato de fé: **Amém.**

DEUS NOS ENVIA

13. BÊNÇÃO FINAL
S.: O Senhor esteja convosco!
T.: Ele está no meio de nós!
S.: Abençoe-vos Deus todo-poderoso, Pai, Filho † e Espírito Santo!
T.: Amém.
S.: Ide em paz, e o Senhor vos acompanhe!
T.: Graças a Deus.

ORAÇÃO EUCARÍSTICA V

S.: O Senhor esteja convosco.
T.: Ele está no meio de nós.
S.: Corações ao alto.
T.: O nosso coração está em Deus.
S.: Demos graças ao Senhor, nosso Deus.
T.: É nosso dever e nossa salvação.
S.: É justo e nos faz todos ser mais santos, louvar a vós, ó Pai, no mundo inteiro, de dia e de noite, agradecendo com Cristo, vosso Filho, nosso irmão. É ele o sacerdote verdadeiro que sempre se oferece por nós todos, mandando que se faça a mesma coisa que fez naquela ceia derradeira. Por isso, aqui

estamos reunidos, louvando e agradecendo com alegria, juntando nossa voz à voz dos Anjos e dos Santos todos, para cantar (dizer):

T.: Santo, Santo, Santo...

S.: Ó Pai, vós que sempre quisestes ficar muito perto de nós, vivendo conosco no Cristo, falando conosco por ele, mandai o vosso Espírito Santo, a fim de que as nossas ofertas se mudem no Corpo † e no Sangue de nosso Senhor Jesus Cristo.

T.: Mandai vosso Espírito Santo!

S.: Na noite em que ia ser entregue, ceando com seus Apóstolos, Jesus tomou o pão em suas mãos, olhou para o céu e vos deu graças, partiu o pão e o entregou a seus discípulos, dizendo:

TOMAI, TODOS, E COMEI: ISTO É O MEU CORPO, QUE SERÁ ENTREGUE POR VÓS.

Do mesmo modo, no fim da Ceia, tomou o cálice em suas mãos, deu-vos graças novamente e o entregou a seus discípulos, dizendo:

TOMAI, TODOS, E BEBEI: ESTE É O CÁLICE DO MEU SANGUE, O SANGUE DA NOVA E ETERNA ALIANÇA, QUE SERÁ DERRAMADO POR VÓS E POR TODOS PARA REMISSÃO DOS PECADOS. FAZEI ISTO EM MEMÓRIA DE MIM.

S.: Tudo isto é mistério da fé!

T.: Toda vez que comemos deste Pão, toda vez que bebemos deste Vinho, recordamos a paixão de Jesus Cristo e ficamos esperando sua vinda.

S.: Recordando, ó Pai, neste momento, a paixão de Jesus, nosso Senhor, sua ressurreição e ascensão, nós queremos a vós oferecer este Pão que alimenta e que dá vida, este Vinho que nos salva e dá coragem.

T.: Recebei, ó Senhor, a nossa oferta!

S.: E quando recebermos Pão e Vinho, o Corpo e Sangue dele oferecidos, o Espírito nos una num só corpo, para sermos um só povo em seu amor.

T.: O Espírito nos una num só corpo!

S.: Protegei vossa Igreja que caminha nas estradas do mundo rumo ao céu, cada dia renovando a esperança de chegar junto a vós, na vossa paz.
T.: Caminhamos na estrada de Jesus!
S.: Dai ao vosso servo, o Papa N., ser bem firme na fé, na caridade, e a N., que é Bispo desta Igreja, muita luz para guiar o vosso Povo.
T.: Lembrai-vos, ó Pai, da vossa Igreja!
S.: Esperamos entrar na vida eterna com Maria, Mãe de Deus e da Igreja, os Apóstolos, e todos os que na vida souberam amar Cristo e seus irmãos.
T.: Esperamos entrar na vida eterna!
S.: Abri as portas da misericórdia aos que chamastes para a outra vida; acolhei-os junto a vós, bem felizes, no reino que para todos preparastes.
T.: A todos dai a luz que não se apaga!
S.: E a todos nós, aqui reunidos, que somos povo santo e pecador, dai-nos a graça de participar do vosso reino que também é nosso.
S.: Por Cristo, com Cristo, e em Cristo, a vós, Deus Pai todo-poderoso, na unidade do Espírito Santo, toda honra e toda glória, por todos os séculos dos séculos. **T.: Amém.**

ORAÇÕES DE AÇÃO DE GRAÇAS

A JESUS NA CRUZ
Alma de Cristo, **santificai-me.** Corpo de Cristo, **salvai-me.** Sangue de Cristo, **inebriai-me.** Água do lado de Cristo, lavai-me. Paixão de Cristo, confortai-me. Ó bom Jesus, escutai-me. Dentro de vossas chagas, **escondei-me.** Não permitais **que me separe de vós.** Do espírito maligno, **defendei-me.** Na hora da minha morte, **chamai-me e mandai-me ir para vós, para que, com vossos santos vos louve por todos os séculos dos séculos. Amém.**

ORAÇÃO DE SÃO FRANCISCO
Senhor, fazei-me instrumento de vossa paz.
Onde houver ódio, **que eu leve o amor.**
Onde houver ofensa, **que eu leve o perdão.**
Onde houver discórdia, **que eu leve a união.**
Onde houver dúvida, **que eu leve a fé.**
Onde houver erro, **que eu leve a verdade.**
Onde houver desespero, **que eu leve a esperança.**
Onde houver tristeza, **que eu leve a alegria.**
Onde houver trevas, **que eu leve a luz.**
Ó Mestre, **fazei que eu procure mais consolar que ser consolado; compreender, que ser compreendido; amar que ser amado.**
Pois é dando que se recebe; **é perdoando que se é perdoado e, morrendo, que se vive para a vida eterna.**

ORAÇÃO VOCACIONAL
Senhor Jesus, unidos, queremos falar bem de perto ao vosso coração, neste momento. **Queremos ter vossa vida em nós e caminhar nos vossos caminhos.** Queremos ver vossa presença sempre continuada em nosso meio e na Igreja. **Queremos estar sempre assim perto de vosso coração e na vossa amizade.** E para ter isso, queremos insistir agora para que, pela vossa graça, muitos jovens sejam chamados a viver na doação total a vós e no serviço ao Povo de Deus. **Que tenhamos sacerdotes, religiosos e ministros santos, para que sintamos vossa presença de amor, vossa paz e salvação!** Nós o pedimos com muita confiança, pela intercessão da Virgem Maria, vossa e nossa Mãe, a vós que viveis e reinais com o Pai, na unidade do Espírito Santo. Amém.
— **Enviai, Senhor, muitos operários para a vossa messe, pois a messe é grande, Senhor, e os operários são poucos!**

ORAÇÃO PELA FAMÍLIA
Senhor, fazei de nosso lar um lugar do vosso amor. **Que não haja amargura, porque vós nos abençoais.** Que não haja

egoísmo, porque vós nos encorajais e estais conosco. **Que saibamos caminhar para vós, em nossa rotina diária.** Que cada manhã seja o início de mais um dia de entrega e sacrifício. **Que cada noite nos encontre ainda mais unidos no amor e na paz.** Fazei, Senhor, de nossos filhos, o que vós desejais. **Ajudai-nos a educá-los, a orientá-los pelos vossos caminhos.** Que nos esforcemos no consolo mútuo. **Que façamos do amor um motivo para amar-vos ainda mais.** Que demos o melhor de nós mesmos para sermos felizes no lar. **Que quando amanhecer o grande dia de ir ao vosso encontro, nos concedais estarmos unidos a vós para sempre. Amém.**

ORAÇÃO PELOS DOENTES

Senhor, vós curastes tantos doentes, e com amor olhais para todos os enfermos. **Permiti-nos que vos apresentemos os doentes, como outrora eram apresentados aqueles que solicitavam vosso auxílio.** Eis aqueles que, desde muito tempo, são provados pela doença e não veem o fim de sua provação: os que subitamente ficaram paralisados pela enfermidade e tiveram que renunciar a suas atividades e a seu trabalho; **os que têm encargo de família e não conseguem mais responder por ele, por causa de seu estado de saúde**; os que sofrem muito, em seu corpo ou em sua alma, de doenças que os angustiam e abatem; **os deprimidos, vítimas do desgaste da saúde e cuja coragem precisa ser reerguida**; os que não têm nenhuma esperança de cura e que sentem declinar suas forças; **todos os doentes que vós amais, todos os que reclamam o vosso apoio e a melhora de seu estado de saúde**; todos aqueles cujos corpos feridos tornam-se semelhantes ao vosso corpo imolado na cruz. **Amém!**

ORAÇÃO DA TARDE

1. Acolhida do Dirigente.
2. Canto e Exposição do Santíssimo.
3. Visita ao Santíssimo:

D. Em nome do Pai e do Filho e do Espírito Santo.
— Amém.
D.: Meu Senhor Jesus Cristo, que por amor a nós permaneceis dia e noite neste Sacramento, cheio de misericórdia e de amor, esperais, chamais e acolheis a todos os que vêm visitar-vos.
— Nós cremos que estais presente no Sacramento do altar.
D.: Nós vos adoramos e damos graças por todos os dons que nos destes; especialmente pela entrega que fizestes de vós mesmo neste Sacramento e por nos terdes dado como protetora Maria, vossa Mãe.
— Nós vos agradecemos, Senhor, por nos terdes convidado a visitar-vos neste momento.
D.: Nós vos agradecemos pela vossa presença sempre continuada em nosso meio por meio da Eucaristia. Por isso, desejamos, também, amar-vos com toda a nossa inteligência e com todo o nosso coração.
— Obrigado, Senhor, por todas as Eucaristias que são celebradas em todo o mundo.
D.: Queremos, com esta visita, adorar-vos em todos os altares do mundo, onde vossa presença neste Sacramento é menos reverenciada e mais abandonada. Queremos também vos pedir perdão pela indiferença e pelas ofensas que recebeis neste Sacramento.
— Senhor, tende piedade daqueles que vos desconhecem e não vos respeitam.
D.: Queremos também, neste momento, pedir-vos perdão por não reconhecer, amar e respeitar vossa presença no coração e na vida de cada irmão e irmã, especialmente os mais pobres e abandonados.
— Senhor, perdoai nossa falta de amor, respeito e atenção ao próximo, no qual vós fazeis morada.
D.: Queremos ainda, Senhor, depositar em vosso coração misericordioso nossa vontade, nossos sentimentos e nossa vida, para que sejamos vosso sacrário vivo.
— Senhor, fazei-nos viver em vosso amor, por isso ajudai-nos a transformar nosso coração, nosso pensar e nosso agir.

D.: Senhor, que ao receber-vos na comunhão eucarística possamos comungar também vossas atitudes de amor, misericórdia, bondade e respeito para com todas as pessoas.
— Senhor, fazei de nós discípulos-missionários vossos, no amor, na justiça, na solidariedade e no perdão.
D.: Que tenhamos sempre confiança em vós, especialmente nos momentos de angústia, sofrimento e dor, na certeza de que vós estais presente, bem junto de nós.
— Senhor, fortalecei nossa fé e aumentai a nossa confiança em vós.
D.: Que, unidos a vós, ó Jesus, sob a proteção de vossa e nossa Mãe Santíssima, possamos ser sempre firmes em nossa fé cristã, comprometidos com a justiça, a solidariedade e a paz.
— Ficai conosco, Senhor, para que nosso modo de agir seja sinal de nossa fidelidade e comunhão convosco.
D.: Enfim, Jesus, nosso Santíssimo Redentor, nós depositamos nossos pedidos, agradecimentos e louvores em vosso coração cheio de amor, na confiança e certeza de que o Senhor os acolha e atenda.
— Senhor, acolhei nossa oração sincera e fazei de nós um sinal de vosso amor e de vossa bondade para com todos.

BÊNÇÃO DO SANTÍSSIMO SACRAMENTO

— *Esta é a hora da bênção. A Eucaristia é a grande "ação de graças" ao Pai dos homens unidos em Cristo, que transborda de sua bondade para nós* (1Cor 11,23-26).

Tão sublime Sacramento adoremos neste altar, pois o Antigo Testamento deu ao Novo o seu lugar. Venha a fé por suplemento os sentidos completar. Ao eterno Pai cantemos e a Jesus o Salvador, ao Espírito exaltemos, na Trindade eterno amor, ao Deus uno e trino demos a alegria do louvor. Amém.
Dir.: Do céu lhes destes o Pão. (Aleluia)
T.: Que contém todo sabor. (Aleluia)

Oremos: Senhor Jesus Cristo, neste admirável Sacramento, nos deixastes o memorial da vossa paixão. Dai-nos venerar com tão grande amor o mistério de vosso Corpo e de vosso Sangue, que possamos colher continuamente os frutos da Redenção. Vós, que reinais com o Pai, na unidade do Espírito Santo. **T.: Amém.**

– Deus vos abençoe e vos guarde! Que Ele vos ilumine com a luz da sua face e vos seja favorável! Que Ele vos mostre o seu rosto e vos traga a paz! Que Ele vos dê a saúde do corpo e da alma!
– Nosso Senhor Jesus Cristo esteja perto de vós para vos defender; esteja em vosso coração para vos conservar; que Ele seja vosso guia para vos conduzir; que vos acompanhe para vos guardar; olhe por vós e sobre vós derrame sua bênção! Ele, que vive com o Pai, na unidade do Espírito Santo. **T.: Amém.**

ATO DE LOUVOR

Bendito seja Deus.
Bendito seja o seu Santo Nome.
Bendito seja Jesus Cristo, verdadeiro Deus e verdadeiro homem.
Bendito seja o nome de Jesus.
Bendito seja o seu Sacratíssimo Coração.
Bendito seja o seu preciosíssimo Sangue.
Bendito seja Jesus Cristo no Santíssimo Sacramento do altar.
Bendito seja o Espírito Santo Paráclito.
Bendita seja a grande Mãe de Deus, Maria Santíssima.
Bendita seja a sua Santa e Imaculada Conceição.
Bendita seja a sua gloriosa Assunção.
Bendito seja o nome de Maria, Virgem e Mãe.
Bendito seja São José, seu castíssimo esposo.
Bendito seja Deus nos seus Anjos e nos seus Santos.

ORAÇÃO PELA IGREJA E PELA PÁTRIA

Deus e Senhor nosso, protegei a vossa Igreja, dai-lhe santos pastores e dignos Ministros. Derramai as vossas bênçãos sobre o nosso santo Padre, o Papa, sobre o nosso (arce)bispo, sobre o nosso Pároco e sobre todo o clero; sobre o chefe da Nação e do Estado e sobre todas as pessoas constituídas em dignidade, para que governem com justiça. Dai ao povo brasileiro paz constante e prosperidade completa. Favorecei, com os efeitos contínuos de vossa bondade, o Brasil, este (arce)bispado, a paróquia em que habitamos, a cada um de nós em particular, e a todas as pessoas por quem somos obrigados a orar ou que se recomendaram as nossas orações. Tende misericórdia das almas dos fiéis que padecem no purgatório. Dai-lhes, Senhor, o descanso e a luz Eterna. *(Pai-Nosso, Ave-Maria, Glória)*
Dir.: Graças e louvores se deem a cada momento.
T.: Ao santíssimo e diviníssimo Sacramento!

LOUVOR A NOSSA SENHORA APARECIDA

Dir.: Senhora Aparecida, Padroeira do Brasil e nossa Mãe, queremos neste momento vos louvar e pedir a vossa bênção e proteção. Queremos louvar a Deus com vossas próprias palavras:
T.: O Senhor fez em mim maravilhas, santo é seu nome!
Dir.: A minha alma engrandece o Senhor e exulta meu espírito em Deus meu Salvador, porque olhou para a humildade de sua serva, doravante as gerações hão de chamar-me de Bendita.
T.: O Senhor fez em mim maravilhas, santo é seu nome!
Dir.: O Poderoso fez em mim maravilhas e santo é seu nome! Seu amor para sempre se estende sobre aqueles que o temem.
T.: O Senhor fez em mim maravilhas, santo é seu nome!
Dir.: Manifesta o poder de seu braço: dispersa os soberbos, derruba os poderosos de seus tronos e eleva os humildes.
T.: O Senhor fez em mim maravilhas, santo é seu nome!
Dir.: Sacia de bens os famintos, despede os ricos sem nada. Acolhe Israel seu servidor, fiel ao seu amor, como havia prometido a nossos pais, em favor de Abraão e de seus filhos para sempre.
T.: O Senhor fez em mim maravilhas, santo é seu nome!

Nossas Preces:

Dir.: Louvemos a Deus Pai, que escolheu Maria para ser a Mãe de seu Filho Jesus e a deu por nossa Mãe. Peçamos confiantes:
T.: Senhora Aparecida, rogai a Deus por nós!
Dir.: Deus nosso Pai, que fizestes a Virgem Maria participar de maneira toda especial no plano de Salvação de seu Filho Jesus,
— que todos aceitemos Jesus como nosso caminho, nossa verdade e nossa vida.
T.: Senhora Aparecida, rogai a Deus por nós!
Dir.: Vós nos destes Maria por Mãe. Por sua intercessão concedei a cura aos doentes, o consolo aos tristes, o perdão aos pecadores,
— e a todos dai a salvação e a paz.
T.: Senhora Aparecida, rogai a Deus por nós!
Dir.: Fizestes de Maria a Mãe de misericórdia,
— concedei que seu amor de Mãe nos livre de todos os perigos e de toda maldade.
T.: Senhora Aparecida, rogai a Deus por nós!
Dir.: Vós quisestes que vosso Filho Jesus vivesse vida pobre e simples na casa de Maria e José,
— dai-nos a coragem de partilhar nossos bens com nossos irmãos necessitados.
T.: Senhora Aparecida, rogai a Deus por nós!
Dir.: Pai do céu, coroastes Maria Rainha do céu e da terra,
— concedei a nós que a invocamos como Rainha e Senhora nossa a graça de viver na paz e na justiça.
T.: Senhora Aparecida, rogai a Deus por nós!

CELEBRAÇÃO DA RECONCILIAÇÃO

1. ACOLHIDA E CANTO
Dir.: A graça e a misericórdia de Deus, nosso Pai, e de Jesus Cristo, nosso Senhor, que lavou nossos pecados com o seu sangue, estejam convosco.

T.: **Bendito seja Deus, Pai de Nosso Senhor Jesus Cristo, que nos predestinou para sermos santos e imaculados em seu amor.**
Dir.: Deus é fiel e justo em nos perdoar de toda a maldade. Sua misericórdia sempre nos reconcilia.
T.: **Senhor, confessamos que somos fracos e erramos. Por vosso amor livrai-nos de todos os nossos pecados. Estamos arrependidos por não termos realizado o vosso plano de amor em nossas vidas. Perdoai-nos e ajudai-nos a recomeçar a nossa vida de cristãos junto com nossa comunidade. Amém.**

2. PALAVRA DE DEUS
Lucas 15,11-24: O Pai misericordioso e o filho arrependido (ou Mt 18,21-35; 22,34-40; 25,31-46; Lc 19,1-10).

3. REFLEXÃO PESSOAL OU PREGADA *(leia os Temas Missionários sobre o Pecado e sobre a Reconciliação)*

4. EXAME DE CONSCIÊNCIA
Jesus é a nossa salvação. Verdadeiro Deus, Ele traz o perdão de Deus até o mais profundo de nossa vida. Verdadeiro Homem, Ele é o Caminho para começarmos uma vida nova. Suas palavras e seu modo de viver são o espelho que Deus nos oferece, para que possamos verificar como vai indo nossa vida humana e cristã.

1. Jesus e Deus = Eu e Deus:
— Jesus viveu sempre unido a Deus, seu Pai. Realizou o seu Projeto de amor para os homens, mesmo à custa da agonia e da morte na cruz. Rezou sempre e foi fiel. Por isso, Deus o ressuscitou e lhe deu uma Vida nova.
— *Eu confesso que ainda não amo a Deus como meu Pai. Só me lembro dele quando preciso. Não me preocupo em perguntar qual é a sua Vontade antes de decidir o que fazer. Não conheço o seu Evangelho. Nem sempre rezo e não respeito o domingo como "Dia do Senhor". Falto às Missas.*

Sou fraco na fé e me deixo atrair por outras religiões, seitas e superstições. Talvez já tenha até blasfemado...
2. Jesus e os outros = Eu e os outros:
— Jesus veio ao mundo para servir por amor. Acolheu a todos sem discriminação. Ensinou seu caminho, curou a quem sofria e perdoou até na cruz. Rejeitou a violência. Ofereceu a vida para nos reconciliar entre nós e com seu Pai. Seu testamento: "Amai-vos uns aos outros, como eu vos amei" (Jo 15,12).
— *Eu confesso que em minha família, no trabalho, no bairro, eu busco mais ser servido do que servir. Acho difícil aceitar as pessoas como são. Gosto de ser valorizado, mas não costumo valorizar o outro. Provoco tensões e até violências dentro de casa e com outras pessoas. Não me é fácil perdoar nem pedir perdão. Sinto-me distante do mandamento maior de Jesus.*
3. Jesus como Homem = Eu como pessoa humana.
— Jesus foi um Homem perfeito, tal como Deus sonha para todo ser humano. Ele era livre, convicto de suas ideias, comprometido com sua missão, transparente, cheio de ternura e de misericórdia, aberto a todos e sempre servindo. Não bajulou e não se deixou amedrontar. Sempre manso e humilde de coração. Amou a vida, viveu e morreu amando.
— *Eu confesso que me sinto tantas vezes falso, orgulhoso e desleal com os outros. Deixo-me levar pela onda do momento ou pela cabeça dos amigos, contrariando a minha fé e os meus compromissos. Não costumo avaliar à luz de minha fé os fatos da vida e o que a TV, o rádio e os jornais propagam. Sexo irresponsável, aborto, infidelidades, uso de drogas e abuso de bebidas etc. parecem-me coisas normais. Não tenho aperfeiçoado o meu caráter e multiplicado os talentos que Deus me deu.*
4. Jesus e a sociedade = Eu e a sociedade.
— Jesus jamais se deixou corromper pelo poder, pelo dinheiro e pelo prazer. Não quis tirar vantagem e nunca fez conta da posição social. Buscou valores mais profundos. Ensinou a tomar o último lugar e a sentir a grandeza de ser o primeiro a servir. Teve predileção pelos pequeninos e pobres da sociedade.

— Eu confesso que me deixo levar pela mentalidade de corrupção e de injustiça da sociedade, tirando minhas próprias vantagens. Deixo-me levar pela ganância do dinheiro e pela ambição da posição social. Não sou de ajudar os outros. Gosto das aparências e gasto dinheiro em coisas supérfluas. Não sou solidário na luta pela justiça social em favor dos que são explorados: os mal assalariados, os sem terra, os sem instrução etc. Uso da política mais para interesses pessoais ou partidários do que pensando no bem comum e principalmente nos que mais sofrem.

5. Jesus e sua Igreja = Eu e minha Comunidade.

— Jesus veio até nós, conviveu solidariamente conosco, ofereceu-se na cruz e ressuscitou para dar-nos o Reino de Deus. Ele permanece conosco "até o fim dos tempos" (Mt 28,20) para que o sigamos e formemos a sua Igreja.

— Sou batizado como católico, mas confesso que não me sinto corresponsável pela minha Igreja. Falo mal dela como se não pertencesse à Igreja. Não participo ativamente, não ajudo como poderia, não caminho junto com minha comunidade. Não me interesso pelas reuniões e não colaboro com os ministérios e pastorais de minha paróquia. Não valorizo os sacramentos como sinais de Jesus Ressuscitado para minha salvação. Fico afastado principalmente dos sacramentos do perdão e da comunhão.

5. ORAÇÃO DE ARREPENDIMENTO

Dir.: Piedade de mim, Senhor, porque vossa misericórdia é infinita. Purificai o meu coração e libertai os meus sentimentos de toda maldade.
T.: Senhor, tende piedade de nós!
Dir.: Senhor, reconheço que meus pecados me destroem. Rompi o verdadeiro amor para com as pessoas que estão perto de mim. Ajudei a sociedade a tornar-se pior. Frustrei o vosso Projeto de amor para a humanidade.
T.: Cristo, tende piedade de nós!

Dir.: Senhor, quero levantar-me e caminhar iluminado pelo vosso Espírito Santo. Aceito mais uma vez o vosso Caminho como o meu caminho, a vossa Verdade como a minha verdade, a vossa Vida como a minha vida.
T.: Senhor, tende piedade de nós!

6. ATO DE CONTRIÇÃO
T.: Senhor, eu me arrependo sinceramente de todo o mal que pratiquei e do bem que deixei de fazer. Reconheço que vos ofendi meu Deus e meu Pai, que sois digno de ser amado sobre todas as coisas. Reconheço também que prejudiquei o meu próximo e a minha Comunidade. Prometo firmemente, ajudado pela força do vosso Espírito, fazer penitência e não mais pecar. Pela vossa misericórdia e pelos méritos da paixão e morte de nosso Redentor Jesus Cristo, tende piedade de mim e perdoai-me.

7. PAI-NOSSO

8. Dir.: Maria é Mãe que intercede por nós e nos ajuda neste momento de penitência. Confiantes, nós a invocamos, dizendo: **Ave, Maria.**

9. ABSOLVIÇÃO individual ou eventualmente coletiva

10. DESPEDIDA: Canto de alegria. Abraço fraterno

11. EXORTAÇÃO FINAL
Dir.: O perdão restaura o amor. Vamos começar uma vida nova na misericórdia de Deus. O Senhor está conosco em nossa caminhada e o seu Espírito volta a iluminar a nossa vida por dentro. Agradecidos, guardemos no coração as palavras de Jesus: "Como o Pai me amou, eu também vos amei. Permanecei no meu amor. Eu vos digo isto para que minha alegria esteja em vós e vossa alegria seja completa. Este é o meu mandamento: — Amai-vos uns aos outros como eu vos

amei. Não fostes vós que me escolhestes, mas fui eu que vos escolhi e vos designei para irdes e produzirdes fruto e para que o vosso fruto permaneça" (Jo 15,9.11-12.16).
Dir.: Vamos em paz e o Senhor nos acompanhe!
T.: Graças a Deus!

ROTEIRO PARA REUNIÕES DE EVANGELIZAÇÃO

Introdução: Em nome do Pai, do Filho e do Espírito Santo. Amém.
Dirigente: Que a Paz de Deus esteja nesta casa e com todos os presentes.
Todos: Bendito seja Deus, que nos reuniu noAmor de Cristo.
Alguém da Família: Sejam bem-vindos à nossa casa e sejam abençoados os pés dos que anunciam a Paz.
Canto: Esta Família será abençoada, porque o Senhor vai derramar o seu Amor...
Dir.: Neste nosso encontro, o tema da reflexão será: ....
Desejamos que cada um o escute com muita atenção e comunique aos outros o que o Espírito Santo o faz entender e aprender.
Canto: *invocando o Espírito Santo.*

Mensagem da Vida:
— Um texto sobre o tema, tirado dos "Temas Missionários", da Lição da vida ou outro subsídio, que um leitor(a) lê pausadamente para todos.
— Ou o grupo partilha algum acontecimento recente, que tenha impressionado bastante.
Dir.: *(convida para a partilha, conforme as perguntas do texto ou seguindo estas sugestões:)*
— Como eu entendo esse texto ou esse fato, e o que mais me chamou a atenção?
— Que mensagem transmite para a nossa vida?

Mensagem de Deus:
Canto: *aclamando a Bíblia, Palavra de Deus.*
Leitor(a): (proclama o texto bíblico, de pé, com muita clareza. Ao terminar, levanta a Bíblia e diz:)
— Palavra do Senhor.
T.: Graças a Deus.
Dir.: Propõe estas questões:

— **Compreensão da Palavra de Deus:** como entendi o trecho proclamado?
— **Aplicação para a vida:** como aplicar esta mensagem a nossa vida de cada dia?
— **Compromisso concreto:** qual o empenho que Deus pede a cada um de nós e ao nosso grupo, dentro da comunidade e dentro da nossa sociedade?

Dir.: Agora é o momento de transformar a nossa reflexão em Oração, para que a Graça do Senhor venha ao encontro de nossa fraqueza: "Tudo posso naquele que me conforta" (Fl 4,13).
T.: Com Jesus, teremos a força de assumir a sua Palavra em nossa vida. E Maria, Mãe de Jesus e nossa Mãe querida, ora conosco para que sejamos fiéis ao Evangelho de seu Filho.
(Reza-se o Terço completo ou apenas alguns mistérios. Ou pode-se fazer a Oração dos fiéis de forma espontânea ou recitar algum Salmo.)
Dir.: Vamos concluir o nosso encontro fraterno de Evangelização. Foi bom estarmos juntos, unidos em Cristo com Maria, para viver e crescer em Comunidade. A próxima reunião será na casa de ...., às .... horas, com a bênção de Deus.
T.: Que Jesus nos abençoe e nos guarde! Que Ele nos ilumine com a luz de sua face e nos seja favorável! Que Ele nos conceda Paz, Amor e Saúde, protegendo-nos de todo o mal!
Canto: *Canto final a Nossa Senhora.*
Dir.: Louvado seja Nosso Senhor Jesus Cristo.
T.: Para sempre seja louvado!

CÂNTICOS PARA AS MISSÕES

1. VINDE, PAIS; VINDE, MÃES (E)
(Popular das Santas Missões)
Vinde, pais; vinde, mães; vinde, filhos; vinde, todos à Missão./ São dias de misericórdia, são dias de consolação.
1. Ó Jesus, que amais os homens, pelo vosso Coração, dai que todos com proveito frequentemos a Missão.
2. É favor de vossa graça, de nossa alma a salvação. Ó Jesus misericordioso, concedei-nos o perdão!
Vinde, pais; vinde, mães; vinde, filhos; vinde, todos à Missão. Vinde, agora, pois é tempo de cuidar da salvação!

2. AGORA É TEMPO (D)
(Ir. Maria Luiza Ricciardi)
Agora é tempo de ser Igreja,/ caminhar juntos, participar. (bis)
1. Somos povo escolhido/ e na fronte assinalados/ com o nome do Senhor,/ que caminha ao nosso lado.
2. Somos povo em missão./ Já é tempo de partir./ É o Senhor que nos envia,/ em seu nome a servir.
3. Somos povo esperança./ Vamos juntos planejar:/ ser Igreja a serviço/ e a fé testemunhar.
4. Somos povo a caminho/ construindo em mutirão/ nova terra, novo reino/ de fraterna comunhão.

3. Ó SENHOR, NÓS ESTAMOS AQUI (E)
(Frei Luiz Turra – Paulus)
1. Ó Senhor, nós estamos aqui,/ junto à mesa da celebração,/ simplesmente atraídos por vós,/ desejamos formar comunhão!
Igualdade, fraternidade,/ nesta mesa nos ensinais. As lições que melhor educam, na Eucaristia é que nos dais! (bis)
2. Este encontro convosco, Senhor,/ incentiva a justiça e a paz;/ nos inquieta e convida a sentir/ os apelos que o pobre nos faz.

4. VIVER E CRESCER EM COMUNIDADE (E)
(Pe. Ronoaldo Pelaquin, C.Ss.R.)
1. Unidos em Cristo, na Fraternidade,/ é o lema de Vida da nossa Missão.
Viver e crescer em comunidade./ Em comunidade viver e crescer. (bis)
2. Com Ele, por Ele, com a força dele,/ nós vamos vencendo a nossa Missão.
3. Unidos em Cristo, com a Virgem Maria,/ nós vamos vencendo em nossa União.

5. SOMOS NÓS O POVO ELEITO (D)
(Pe. José Freitas Campos)
Ó Pai, somos nós o povo eleito que Cristo veio reunir. (bis)
1. Pra viver da sua vida, aleluia! O Senhor nos enviou, aleluia!
2. Pra anunciar o Evangelho, aleluia! O Senhor nos enviou, aleluia!
3. Pra construir um mundo novo, aleluia! O Senhor nos enviou, aleluia!

6. NÓS ESTAMOS AQUI REUNIDOS (D)
(Ir. Míria Kolling/ Pe. Lúcio Floro)
Nós estamos aqui reunidos como estavam em Jerusalém./ Pois só quando vivemos unidos/ é que o Espírito Santo nos vem.
1. Ninguém para esse vento passando,/ ninguém vê, e ele sopra onde quer./ Força igual tem o Espírito quando/ faz a Igreja de Cristo crescer.
2. Feita de homens a Igreja é divina,/ pois o Espírito Santo a conduz. Como um fogo que aquece e ilumina/ que é pureza, que é vida, que é luz.

7. VAI, VAI, MISSIONÁRIO (D)
(Jarbas Gregório)
Vai, vai, missionário do Senhor,/ vai trabalhar na messe com ardor./ Cristo também chegou para anunciar:/ não tenhas medo de evangelizar.

1. Chegou a hora de mostrarmos quem é Deus/ à América Latina e aos sofridos povos seus,/ que passam fome, labutam, se condoem,/ mas acreditam na libertação.
2. Se és cristão, és também comprometido,/ chamado foste tu e também foste escolhido/ pra construção do Reino do Senhor:/ vai, meu irmão, sem reserva e sem temor.

8. EIS-ME AQUI, SENHOR (D)
(L.: D. Pedro Brito Guimarães/ M.: Frei Fabreti – Paulinas Comep)
Eis-me aqui, Senhor! Eis-me aqui, Senhor!/ Pra fazer tua vontade, pra viver no teu amor. (bis)/ Eis-me aqui, Senhor!
1. O Senhor é o pastor que me conduz, por caminho nunca visto me enviou. Sou chamado a ser fermento, sal e luz. E, por isso, respondi: aqui estou!
2. Ponho a minha confiança no Senhor. Da esperança sou chamado a ser sinal. Seu ouvido se inclinou a meu clamor. E, por isso, respondi: aqui estou!

9. TU ÉS A RAZÃO DA JORNADA (D)
(José A. Santana – Paulus)
1. Um dia escutei teu chamado,/ divino recado/ batendo no coração./ Deixei deste mundo as promessas,/ e fui bem depressa/ no rumo da tua mão.
Tu és a razão da jornada, tu és minha estrada, meu guia e meu fim!/ No grito que vem do teu povo te escuto de novo chamando por mim!
2. Os anos passaram ligeiro,/ me fiz um obreiro/ do reino de paz e amor./ Nos mares do mundo navego,/ e às redes me entrego,/ tornei-me teu pescador!
3. Embora tão fraco e pequeno,/ caminho sereno/ com a força que vem de ti!/ A cada momento que passa,/ revivo esta graça de ser teu sinal aqui.

10. DEIXA A LUZ DO CÉU ENTRAR (E)
(L.: Charles H. Gabriel/ M.: Ada Blenknhom - Paulinas Comep)
1. Tu anseias, eu bem sei, a salvação./ Tens desejo de banir a escuridão./ Abre, pois, de par em par, teu coração/ e deixa a luz do céu entrar.

Deixa a luz do céu entrar. Abre bem as portas do teu coração/ e deixa a luz do céu entrar.
2. Cristo a luz do céu, em ti quer habitar,/ para as trevas do pecado dissipar,/ teu caminho e coração iluminar;/ e deixa a luz do céu entrar.

11. SOMOS GENTE DA ESPERANÇA (G)
(L.: Cícero Alencar/ M.: Norival de Oliveira)
1. Somos gente de esperança/ que caminha rumo ao Pai./ Somos povo da Aliança/ que já sabe aonde vai.
De mãos dadas a caminho/ porque juntos somos mais,/ pra cantar o novo hino/ de unidade, amor e paz!
2. Para que o mundo creia/ na justiça e no amor,/ formaremos um só povo, num só Deus, um só Pastor.
3. Todo irmão é convidado/ para a festa em comum:/ celebrar a nova vida/ onde todos sejam um.

12. ALEGRE VAMOS À CASA DO PAI (E)
(Ir. Míria T. Kolling – Paulus)
Alegres vamos à casa do Pai;/ e na alegria cantar seu louvor./ Em sua casa, somos felizes: participamos da ceia do amor.
1. A alegria nos vem do Senhor./ Seu amor nos conduz pela mão./ Ele é luz que ilumina o seu povo./ Com segurança lhe dá a salvação.
2. O Senhor nos concede os seus bens,/ nos convida à sua mesa sentar./ E partilha conosco o seu pão./ Somos irmãos ao redor deste altar.
3. Voltarei sempre à casa do Pai./ De meu Deus cantarei o louvor./ Só será bem feliz uma vida/que busca em Deus sua fonte de amor.

13. TE AMAREI, SENHOR! (E)
(Alfred Mercica – Paulinas Comep)
1. Me chamaste para caminhar na vida contigo./ Decidi para sempre seguir-te, não voltar atrás./ Me puseste uma brasa no peito e uma flecha na alma,/ é difícil agora viver sem lembrar-me de ti!
Te amarei, Senhor! Te amarei, Senhor!/ Eu só encontro a paz e a alegria bem perto de ti! (bis)

2. Eu pensei muitas vezes calar e não dar nem respostas;/ eu pensei na fuga esconder-me, ir longe de ti./ Mas tua força venceu e ao final eu fiquei seduzido./ É difícil agora viver sem saudades de ti!

14. EIS O TEMPO DE CONVERSÃO (D)
(Pe. José Weber)
Eis o tempo de conversão, eis o dia da salvação./ Ao Pai voltemos, juntos andemos./ Eis o tempo de conversão!
1. Os caminhos do Senhor são verdade, são amor./ Dirigi os passos meus; em vós espero, ó Senhor!/ Ele guia ao bom caminho quem errou e quer justo;/ Ele bom, fiel e justo./ Ele busca e vem salvar.
2. Viverei com o Senhor. Ele é o meu sustento./ Eu confio mesmo quando minha dor não mais aguento./ Tem valor aos olhos seus meu sofrer e meu morrer./ Libertai o vosso servo e fazei-o reviver!
3. A Palavra do Senhor é a luz do meu caminho;/ ela é vida, é alegria; vou guardá-la com carinho./ Sua Lei, seu Mandamento é viver a caridade.

15. SENHOR, TENDE PIEDADE DOS CORAÇÕES ARREPENDIDOS (F)
(José A. Santana – Paulus)
1. Senhor, tende piedade/ dos corações arrependidos.
Tende piedade de nós,/ tende piedade de nós,/ tende piedade de nós,/ tende piedade de nós!
2. Jesus, tende piedade/ dos pecadores, tão humilhados.
3. Senhor, tende piedade,/ intercedendo por nós ao Pai.

16. SENHOR, QUE VIESTES (D)
(Pe. José Cândido da Silva)
1. Senhor, que viestes salvar os corações arrependidos:
Piedade, piedade, piedade de nós!
2. Ó Cristo, que viestes chamar os pecadores humilhados:
Piedade, piedade, piedade de nós!
3. Senhor, que intercedeis por nós junto a Deus Pai que nos perdoa:
Piedade, piedade, piedade de nós!

17. SENHOR, TENDE PIEDADE (D)
(J. Acácio Santana – Paulinas Comep)
1. Senhor, tende piedade e perdoai a nossa culpa.
E perdoai a nossa culpa, porque nós somos vosso Povo, que vem pedir vosso perdão.
2. Cristo, tende piedade e perdoai a nossa culpa.
3. Senhor, tende piedade e perdoai a nossa culpa.

18. TENDE PIEDADE, VOSSO POVO É SANTO (F)
(Pe. Zezinho, SCJ – Paulinas Comep)
Tende piedade, tende piedade,/ tende piedade de nós, ó Senhor./ Tende piedade,/ tende piedade,/ vosso povo é santo mas também é pecador.
Vosso coração de Pai sabe perdoar./ Vosso coração de Filho sabe perdoar./ Vosso coração de Deus consolador/ sabe perdoar, sabe perdoar.

19. CONFESSO A DEUS (C)
(L.: Missal Romano/ M.: Flávio Luiz J. Pereira)
1. Confesso a Deus, Pai todo-poderoso,/ e a vós, irmãos, confesso que pequei,/ por pensamentos, palavras, atos e omissões,/ por minha culpa, tão grande culpa.
Piedade, Senhor, piedade, Senhor, piedade de nós! (bis)
2. E peço à Virgem Maria, aos santos e anjos,/ e a vós, irmãos, eu peço que rogueis/ a Deus, que é Pai poderoso, para perdoar/ a minha culpa, tão grande culpa.

20. EU CANTO A ALEGRIA (DM)
(L.: Áurea C. Sigrist/ M.: Pe. Antônio Haddad – SV 012)
Eu canto a alegria, Senhor,/ de ser perdoado no amor. (bis)
1. Senhor, tende piedade de nós! (bis)
2. Cristo, tende piedade de nós! (bis)
3. Senhor, tende piedade de nós! (bis)

21. GLÓRIA AO NOSSO CRIADOR (A)
(Pe. José Carlos Sala)
1. Glória a Deus nos altos céus,/ paz na terra a seus amados!/ a vós louvam, rei celeste,/ os que foram libertados!
Glória a Deus!/ Glória a Deus!/ Glória ao nosso criador! (bis)

2. Deus e pai, nós vos louvamos,/ adoramos, bendizemos./ Damos glória ao vosso nome,/ vossos dons agradecemos!
3. Senhor nosso, Jesus Cristo,/ unigênito do Pai/ vós de Deus, cordeiro santo,/ nossas culpas perdoai!
4. Vós, que estais junto do Pai,/ como nosso intercessor,/ acolhei nossos pedidos,/ atendei nosso clamor!
5. Vós somente sois o santo, o altíssimo, o Senhor,/ com o Espírito Divino,/ de Deus Pai no esplendor!

22. GLÓRIA GLÓRIA! ANJOS NO CÉU (F)
(L.: CNBB/ M.: André J. Zamur – Paulus)
Glória, glória! Anjos no céu cantam todos seu amor! E na terra, homens de paz: "Deus merece o louvor!"
1. Deus e Pai, nós vos louvamos,/ adoramos, bendizemos;/ damos glória ao vosso nome,/ vossos dons agradecemos.
2. Senhor nosso, Jesus Cristo,/ Unigênito do Pai,/ vós, de Deus Cordeiro Santo,/ nossas culpas perdoai!
3. Vós que estais junto do Pai,/ como nosso intercessor,/ acolhei nossos pedidos,/ atendei nosso clamor!
4. Vós somente sois o Santo,/ o Altíssimo, Senhor,/ com o Espírito divino,/ de Deus Pai no esplendor!

23. GLÓRIA, GLÓRIA, ALELUIA (E)
(Frei Fabreti)
Glória, glória, glória, aleluia!/ Glória, glória, glória, aleluia!/Glória, glória, glória a Deus nos altos céus,/ paz na terra a todos nós!
1. Deus e Pai nós vos louvamos (glória a Deus),/ adoramos, bendizemos (glória a Deus);/damos glória ao vosso nome (glória a Deus),/ vossos dons agradecemos!
2. Senhor nosso Jesus Cristo (glória a Deus),/ Unigênito do Pai (glória a Deus),/ vós de Deus Cordeiro Santo (glória a Deus),/ nossas culpas perdoai!
3. Vós, que estais junto ao Pai (glória a Deus),/ como nosso intercessor (glória a Deus),/ acolhei nossos pedidos (glória a Deus),/ atendei nosso clamor!
4. Vós somente sois o Santo (glória a Deus!),/ o Altíssimo, o Senhor (glória a Deus),/ com o Espírito Divino (glória a Deus),/ de Deus Pai no resplendor!

24. GLÓRIA A DEUS NOS ALTOS CÉUS (G)
(L.: CNBB/ M.: Ir. Miria T. Kolling - Paulus)
1. Glória a Deus nos altos céus!/ Paz na terra a seus amados!/ A vós louvam, Rei celeste,/ os que foram libertados!
Glória a Deus, lá nos céus,/ e paz aos seus. Amém!
2. Deus e Pai, nós vos louvamos,/ adoramos, bendizemos;/ damos glória ao vosso nome,/ vossos dons agradecemos.
3. Senhor nosso, Jesus Cristo,/ Unigênito do Pai,/ vós de Deus Cordeiro Santo,/ nossas culpas perdoai!
4. Vós, que estais junto do Pai,/ como nosso intercessor,/ acolhei nossos pedidos,/ atendei nosso clamor!
5. Vós somente sois o Santo,/ o Altíssimo, o Senhor,/ com o Espírito Divino,/ de Deus Pai no esplendor!
Glória a Deus, lá nos Céus,/ e paz aos seus. Amém! Amém!

25. PÕE A SEMENTE (C)
(José A. Santana)
1. Toda semente é um anseio de frutificar, e todo fruto é uma forma de a gente se dar.
Põe a semente na terra, não será em vão... Não te preocupe a colheita, plantas para o irmão... (bis)
2. Toda a palavra é um anseio de comunicar, e toda fala é uma forma de a gente se dar.

26. PELA PALAVRA DE DEUS (D)
(Frei Luiz Turra)
Pela Palavra de Deus,/ saberemos por onde andar./ Ela é luz e verdade,/ precisamos acreditar.
1. Cristo me chama, Ele é Pastor,/ sabe meu nome: fala, Senhor.
2. Sei que a resposta vem do meu ser: "Quero seguir-te para viver".
3. Mãos estendidas pedem meu pão,/ devo parti-lo com meu irmão.

27. ALELUIA! NO PRINCÍPIO (C)
(Frei Fabreti - Paulinas Comep)
Aleluia! Aleluia! (bis)
1. No Princípio era a Palavra,/ e a Palavra se encarnou./ E nós vimos sua glória,/ seu amor nos libertou.

28. ALELUIA, PONHO-ME A OUVIR (C)
(L.: D. Pedro B. Guimarães/ M.: Frei Fabreti)
Aleluia, aleluia, aleluia, aleluia (bis)
1. Ponho-me a ouvir o que o Senhor dirá./ Ele vai falar, vai falar de paz./ Pela minha voz e pelas minhas mãos,/ Jesus Cristo vai, vai falar de paz!

29. ALELUIA, VAMOS ACLAMAR (C)
(D. Carlos Alberto Navarro e Ir. Míria T. Kolling – Paulus)
Aleluia, aleluia!/ vamos aclamar o evangelho, aleluia! (bis)
1. Cristo vive no meio da gente!/ Ontem, hoje, eternamente!/ cada dia nos chama à conversão!
2. O evangelho será proclamado;/ o mistério revelado,/ corações e olhares, atenção.

30. PALAVRA DE DEUS (G)
(L.: Maucyr Gibin e Pe. José Weber/ M.: Waldeci Farias)
Bendita, bendita, bendita a palavra do Senhor!/ Bendito, bendito, bendito quem a vive com amor!
A Palavra de Deus, escutai:/ no Evangelho Jesus vai falar./ "A justiça do Reino do Pai, procurai em primeiro lugar!"

31. A VOSSA PALAVRA, SENHOR (E)
(Frei Luiz Turra - Paulinas Comep)
A vossa Palavra, Senhor,/ é sinal de interesse por nós. (bis)
1. Como o Pai ao redor de sua mesa,/ revelando seus planos de amor.
2. É feliz quem escuta a Palavra/ e a guarda no seu coração.

32. BUSCAI PRIMEIRO (C)
(D.R)
1. Buscai primeiro o reino de Deus e a sua justiça. E tudo mais vos será acrescentado. **Aleluia, aleluia!**
2. Nem só de pão o homem viverá, mas de toda palavra, que procede da boca de Deus. **Aleluia, aleluia!**
3. Se vos perseguem por causa de mim, não esqueçais o porquê, não é o servo maior que o Senhor. **Aleluia, aleluia!**

33. TODA BÍBLIA É COMUNICAÇÃO (D)
(Pe. José Cândido da Silva – Paulinas Comep)
Toda Bíblia é comunicação/ de um Deus-Amor, de um Deus-irmão./ É feliz quem crê na Revelação,/ quem tem Deus no coração.
1. Jesus Cristo é a Palavra,/ pura imagem de Deus Pai./ Ele é vida e Verdade,/ a suprema Caridade.
2. Os profetas sempre mostram/ a vontade do Senhor./ Precisamos ser profetas/ para o mundo ser melhor.

34. EU VIM PARA ESCUTAR (Dm)
(Pe. Zezinho, SCJ)
Eu vim para escutar/ tua Palavra, tua palavra,/ tua Palavra de amor.
1. Eu gosto de escutar.
2. Eu quero entender melhor.
3. O mundo inda vai viver.

35. A TI, MEU DEUS (E)
(Frei Fabreti - Paulinas Comep)
1. A ti, meu Deus, elevo o meu coração,/ elevo as minhas mãos, meu olhar, minha voz./ A ti, meu Deus, eu quero oferecer/ meus passos e meu viver, meus caminhos, meu sofrer.
A tua ternura, Senhor, vem me abraçar,/ e a tua bondade infinita me perdoar./ Vou ser o teu seguidor e te dar o meu coração,/ eu quero sentir o calor de tuas mãos.
2. A ti, meu Deus, que és bom e que tens amor,/ ao pobre e ao sofredor vou servir e esperar./ Em ti, Senhor, humildes se alegrarão,/ cantando a nova canção de esperança e de paz.

36. MUITOS GRÃOS DE TRIGO (C)
(José A. Santana – Paulinas Comep)
1. Muitos grãos de trigo se tornaram pão. Hoje são teu corpo, ceia e comunhão. Muitos grãos de trigo se tornaram pão.
Toma, Senhor, nossa vida em ação, para mudá-la em fruto e missão. (bis)
2. Muitos cachos de uva se tornaram vinho. Hoje são teu sangue, força no caminho. Muitos cachos de uva se tornaram vinho.

37. MINHA VIDA TEM SENTIDO (D)
(Pe. Zezinho, SCJ - Paulinas Comep)
1. Minha vida tem sentido,/ cada vez que eu venho aqui./ E te faço o meu pedido/ de não me esquecer de ti./ Meu amor é como este pão/ que era trigo, que alguém plantou, depois colheu./ E depois tornou-se salvação/ e deu mais vida/ e alimentou o povo meu.
Eu te ofereço este pão. Eu te ofereço o meu amor. (bis)
2. Minha vida tem sentido/ cada vez que eu venho aqui./ E te faço o meu pedido/ de não me esquecer de ti./ Meu amor é como este vinho/ que era fruto, que alguém plantou,/ depois colheu./ E depois encheu-se de carinho/ e deu mais vida/ e saciou o povo meu.
Eu te ofereço vinho e pão. Eu te ofereço o meu amor. (bis)

38. DE MÃOS ESTENDIDAS, OFERTAMOS (BM)
(L.: Ir. Salete/ M.: Pe. Silvio Milanez – Paulus)
De mãos estendidas, ofertamos o que de graça recebemos. (bis)
1. Nossa vida toda inteira, ofertamos ao Senhor,/ como prova de amizade,/ como prova de amor./ Com o vinho e com o pão,/ ofertamos ao Senhor/ nossa vida toda inteira,/ o louvor da criação.

39. UM CORAÇÃO PARA AMAR (G)
(Pe. Zezinho, SCJ – Paulinas Comep)
1. Um coração para amar, pra perdoar e sentir,/ para chorar e sorrir./ Ao me criar tu me deste/ um coração pra sonhar, inquieto e sempre a bater,/ ansioso por entender as coisas que tu disseste:
Eis o que eu venho te dar,/ eis o que eu ponho no altar./ Toma, Senhor, que ele é teu./ Meu coração não é meu.
2. Quero que o meu coração seja tão cheio de paz,/ que não se sinta capaz de sentir ódio ou rancor./ Quero que a minha oração possa me amadurecer,/ leve-me a compreender as consequências do amor. Eis o que eu venho te dar,/ eis o que eu ponho no altar./ Toma, Senhor, que ele é teu./ Meu coração não é meu.

40. SE EU NÃO TIVER AMOR, EU NADA SOU (F)
(Pe. Ney Brasil)
Se eu não tiver amor, eu nada sou, Senhor! (bis)

1. O amor é compassivo, o amor é serviçal./ O amor não tem inveja, o amor não busca o mal.
2. O amor nunca se irrita, não é nunca descortês./ O amor não é egoísta, o amor não é dobrez.
3. O amor tudo desculpa, o amor é caridade./ Não se alegra na injustiça, é feliz, só na verdade.
4. O amor suporta tudo, o amor em tudo crê./ O amor guarda a esperança, o amor sempre é fiel.
5. Nossa fé, nossa esperança, junto a Deus terminarão,/ mas o amor será eterno, o amor não passa não.

41. DAI-LHES VÓS MESMOS DE COMER (D)
(Frei Luiz Turra – Paulus)
1. Tanta gente vai andando/ na procura de uma luz,/ caminhando na esperança se aproxima de Jesus. No deserto sente fome, e o Senhor tem compaixão./ Comunica sua palavra;/ vai abrindo o coração.
Dai-lhes vós mesmos de comer,/ que o milagre vai acontecer! (bis)
2. Quando o pão é partilhado passa a ter gosto de amor./ Quando for acumulado gera morte, traz a dor./ Quando o pouco que nós temos se transforma em oblação./ O milagre da partilha serve a mesa dos irmãos.
3. No altar da eucaristia o senhor vem ensinar./ Que o amor é verdadeiro quando a vida se doar./ Peregrinos, caminheiros, vamos juntos como irmãos./ Na esperança repartindo a palavra e o mesmo pão.
4. Deus nos fez à sua imagem, por amor acreditou./ Deu-nos vida e liberdade, tantos dons nos confiou./ Responsáveis pelo mundo para a vida promover./ Desafios que nos chegam, vamos juntos resolver.

42. SANTO, SANTO, SANTO, SENHOR DEUS DO UNIVERSO (G)
(Frei Luiz Turra – Paulus)
Santo, Santo, Santo,/ Senhor Deus do universo!/ O Céu e a terra proclamam a vossa glória./ Hosana, hosana!/ Hosana nas alturas! (bis)

Bendito o que vem/ em nome do senhor!/ Hosana, hosana!/ Hosana nas alturas! (bis)

43. SANTO, SANTO, SANTO É O SENHOR (BM)
(Canção Nova)
Santo, Santo, Santo é o Senhor, Deus do Universo, o Céu e a terra. (bis) Hosana, hosana, hosana nas alturas. (bis) Bendito o que vem em nome do Senhor, hosana nas alturas, nas alturas. (bis) Hosana, hosana, hosana nas alturas. (bis)

44. SANTO, SANTO, SANTO (E)
(Frei Fabreti)
Santo, Santo, Santo. (bis) Senhor Deus do universo. (bis) O céu e a terra proclamam a vossa glória. (bis) Hosana, hosana, hosana. (bis) Hosana nas alturas. (bis) Bendito o que vem (bis) em nome do Senhor. (bis) Hosana, hosana, hosana. (bis) Hosana nas alturas. (bis)

45. SANTO, SANTO, SANTO (D)
(D. Pedro B. Guimarães – Paulus)
Santo, Santo, Santo, Senhor Deus do universo!/ O céu e a terra proclamam a vossa glória!
Hosana nas alturas! Hosana! (bis)
Bendito é aquele que vem, em nome do Senhor!/ Bendito é aquele que vem, em nome do Senhor!

46. AO RECEBERMOS, SENHOR (G)
(Joel Elói Franz – Paulus)
1. Ao recebermos, Senhor,/ tua presença sagrada, pra confirmar teu amor,/ faz de nós tua morada./ Surge um sincero louvor,/ brota a semente plantada,/ faz-nos seguir teu caminho,/ sempre trilhar tua estrada.
Desamarrem as sandálias/ e descansem,/ este chão é terra santa, irmãos meus!/ Venham, orem, comam, cantem,/ venham todos/ e renovem a esperança no Senhor.
2. O Filho de Deus com o Pai/ e o Espírito Santo:/ nesta Trindade um só Ser,/ que pede a nós sermos santos./ Dá-nos, Jesus, teu poder/ de se doar sem medida,/ deixa que compreendamos que este é o sentido da vida.

3. Ao virmos te receber,/ nós te pedimos, ó Cristo,/ faze brilhar nosso ser,/ indo ao encontro do Pai Santo/ sem descuidar dos irmãos,/ mil faces da tua face./ Faze que o coração sinta/ a força da caridade.

47. QUANDO O TEU FILHO CONTIGO VIER (G)
(Ir. Míria T. Kolling – Paulus)
1. Quando teu Filho contigo vier,/ pra festa da vida fazer:/ ensina-nos, Maria,/ a fazer o que Ele disser!
Tudo é possível/ nas tuas mãos, meu Senhor!/ A Eucaristia é teu milagre de amor!
2. Quando o vinho do amor nos faltar,/ e a gente ao irmão se fechar:/ ensina-nos, Maria,/ a fazer o que Ele disser!
3. Quando na mesa do nosso irmão/ faltar água, vida e pão:/ ensina-nos, Maria,/ a fazer o que Ele disser!
4. Quando faltar a justiça entre nós,/ e muitos ficarem sem voz:/ ensina-nos, Maria, a fazer o que Ele disser!
5. Quando o serviço ao irmão nos custar,/ cedendo à preguiça o lugar:/ ensina-nos, Maria,/ a fazer o que Ele disser!
6. Quando o homem, em nome da paz,/ matar o irmão pra ter mais:/ ensina-nos, Maria,/ a fazer o que Ele disser!

48. NA MESA SAGRADA (E)
(Frei Luiz Turra – Paulus)
1. Na mesa sagrada se faz unidade,/ no pão que alimenta,/ que é pão do Senhor,/ formamos família na fraternidade; não há diferença de raça e de cor.
Importa viver, Senhor,/ unidos no amor;/ na participação,/ vivendo em comunhão! (bis)
2. Chegar junto à mesa é comprometer-se,/ é a Deus converter-se com sinceridade./ O grito dos fracos devemos ouvir,/ e em nome de Cristo, amar e servir.
3. Se participamos da Eucaristia,/ é grande a alegria que Deus oferece./ Porém não podemos deixar esquecida/ a dor, nesta vida, que o pobre padece.

49. VÓS SOIS O CAMINHO (A)
(Pe. Vigine)
Vós sois o caminho, a verdade e a vida; o pão da alegria descido do céu.
1. Nós somos caminheiros que marcham para os céus; Jesus é o caminho que nos conduz a Deus.
2. Da noite da mentira, das trevas para a luz, busquemos a verdade, verdade é só Jesus.
3. Pecar é não ter vida, pecar é não ter luz; tem vida só quem segue os passos de Jesus.
4. Jesus, verdade e vida, caminho que conduz as almas peregrinas que marcham para a luz.

50. A EUCARISTIA FAZ A IGREJA (E)
(Pe. José Freitas Campos – Paulinas Comep)
1. Bem vindos à mesa do Pai,/ onde o Filho se faz fraternal refeição./ É Cristo a forte comida,/ o pão que dá vida com amor-comunhão.
Vinde, ó irmãos, adorai,/ vinde, adorai o Senhor./ A Eucaristia nos faz igreja,/ comunidade de amor. (bis)
2. Partimos o único pão,/ no altar refeição,/ ó mistério de amor!/ Nós somos sinais da unidade na fé,/ na verdade, convosco, ó Senhor!
3. No longo caminho que temos,/ o pão que comemos nos sustentará./ E Cristo, o pão repartido,/ que o povo sofrido vai alimentar.
4. Queremos servir a Igreja,/ na plena certeza de nossa missão./ Vivendo na Eucaristia,/ o pão da alegria e da libertação.

51. QUEM NOS SEPARARÁ (G)
(Pe. Valmir Neves Silva – Paulinas Comep)
Quem nos separará,/ quem vai nos separar?/ Do amor de Cristo,/ quem nos separará?/ Se Ele é por nós,/ quem será, quem será contra nós?/ Quem vai nos separar do amor de Cristo, quem será?
1. Nem a espada, ou perigo,/ nem os erros do meu irmão;/ nenhuma das criaturas,/ nem a condenação.
2. Nem a vida, nem a morte,/ nem tampouco a perseguição;/ nem o passado, nem o presente,/ ou futuro e a opressão.

3. Nem as alturas, ou os abismos,/ nem tampouco a perseguição,/ nem a angústia, a dor, a fome,/ nem a tribulação.

52. EU QUIS COMER (E)
(L.: D. Carlos A. Navarro/ M.: Waldeci Farias – Paulus)
1. Eu quis comer esta ceia agora,/ pois vou morrer, já chegou minha hora.
Comei, tomai,/ é meu corpo e meu sangue que dou./ Vivei no amor:/ Eu vou preparar a ceia na casa do Pai. (bis)
2. Comei o pão: é meu corpo imolado/ por vós; perdão para todo o pecado.
Comei, tomai,/ é meu corpo e meu sangue que dou./ Vivei no amor:/ Eu vou preparar a ceia na casa do Pai. (bis)
3. E vai nascer do meu sangue a esperança,/ o amor, a paz: uma nova aliança.
4. Vou partir; deixo o meu testamento./ Vivei no amor: eis o meu mandamento.
5. Irei ao Pai; sinto a vossa tristeza,/ porém, no céu, vos preparo outra mesa.

53. A BARCA (C)
(P. C. Gabarain – Paulinas Comep)
1. Tu te abeiraste da praia;/ não buscaste nem sábios nem ricos,/ somente queres que eu te siga.
Senhor, tu me olhaste nos olhos./ A sorrir, pronunciaste meu nome./ Lá na praia, eu larguei o meu barco,/ junto a Ti buscarei outro mar...
2. Tu sabes bem que em meu barco,/ eu não tenho nem ouro nem espadas,/ somente redes e o meu trabalho.
3. Tu minhas mãos solicitas,/ meu cansaço que a outros descanse,/ amor que almeja seguir amando.
4. Tu, pescador de outros lagos,/ ânsia eterna de almas que esperam,/ bondoso amigo que assim me chamas.

54. QUÃO GRANDE ÉS TU (G)
(DR)
1. Senhor meu Deus, quando eu, maravilhado, fico a pensar nas obras de tuas mãos. No céu azul de estrelas pontilhado, o teu poder mostrando a criação.

Então minh'alma canta a ti, Senhor./ Quão grande és tu! Quão grande és tu. (bis)
2. Quando a vagar nas matas e florestas, o passaredo alegre ouço a cantar. Olhando os montes, vales e campinas, em tudo vejo o teu poder sem par.
3. Quando eu medito em teu amor tão grande, teu Filho dando ao mundo pra salvar. Na cruz vertendo o seu precioso sangue, minh'alma pode assim purificar.
4. Quando, enfim, Jesus vier em glória, e ao lar celeste então me transportar. Te adorarei, prostrado e para sempre, quão grande és tu, meu Deus, hei de cantar.

55. O PÃO DA VIDA (D)
(Pe. José Weber – Paulinas Comep)
O pão da vida, a comunhão,/ nos une a Cristo e aos irmãos./ E nos ensina abrir as mãos/ para partir, repartir o pão.:/
1. Lá no deserto a multidão/ com fome segue o Bom Pastor./ Com sede busca a Nova Palavra:/ Jesus tem pena e reparte o pão.
2. Na Páscoa Nova da Nova Lei,/ quando amou-nos até o fim,/ partiu o pão, disse: "Isto é meu corpo/ por vós doado: Tomai, Comei".
3. Se neste pão, nesta comunhão,/ Jesus por nós dá a própria vida,/ vamos também repartir os dons,/ doar a vida por nosso irmão.
4. Onde houver fome, reparte o pão/ e tuas trevas hão de ser luz;/ encontrarás Cristo no irmão,/ serás bendito do Eterno Pai.

56. É COMUNHÃO, É COMUNHÃO (F)
(D. Pedro Brito – Paulus)
É Comunhão, é Comunhão/ em Jesus Cristo por inteiro neste pão./ É Comunhão, é Comunhão/ com sua Igreja missionária em ação.
1. É Comunhão com o Deus vivo e verdadeiro/ que dia a dia vem em nossa direção./ Com Ele vamos revelar ao mundo inteiro/ os horizontes da Evangelização.
2. É Comunhão com o projeto de Jesus:/ a Boa-Nova que Ele veio revelar:/ que por amor aceitou morrer na cruz/ para o seu povo oprimido resgatar.

3. É Comunhão com o Espírito de Amor,/ protagonista da Evangelização:/ Ele revela os segredos do Senhor/ e guia a Igreja nos caminhos da missão.
4. É Comunhão com a Igreja missionária/ que nos acolhe, nos convoca, nos envia./ Como Maria, segue sempre solidária,/ alimentada pela Santa Eucaristia.

57. O CORPO QUE ERA DELE (D)
(Pe. Ronoaldo Pelaquin, C.Ss.R.)
O Corpo que era dele/ eu comerei agora./ O Sangue que era dele meu será./ A Vida que era dele eu viverei agora./ O sonho que era dele meu será.
1. A farinha molhada na água é o pão./ A farinha molhada na fé é Jesus./ Eis o sonho que o mundo não quis entender./ quem não comer; não viverá.
2. Muita uva amassada no pé é o vinho./ Muita uva amassada na fé é Jesus./ Eis o sonho que o mundo não quis entender./ Quem não beber, não viverá.

58. EIS O PÃO DA VIDA (DM)
(José Raimundo Galvão – Hinário litúrgico)
Eis o pão da vida,/ eis o pão dos céus/ que alimenta o homem,/ em marcha para Deus.
1. Um grande convite o Senhor nos faz/ e a Igreja o repete toda vez:/ feliz quem ouve e alegre vem,/ trazendo consigo o amor que tem.
2. Um dia por nós o Senhor se deu,/ do sangue da Cruz o amor nasceu./ E ainda hoje ele dá vigor/ aos pobres, aos fracos, ao pecador.
3. Se o homem deseja viver feliz/ não deixe de ouvir o que a Igreja diz:/ procure sempre se aproximar/ do Deus feito pão para nos salvar.
4. Há várias maneiras de o receber,/ efeitos diversos pode conter./ Não nos suceda comer em vão/ aquilo que é fonte de salvação.

59. O ESPÍRITO É LUZ QUE ILUMINA (F)
(Pe. José F. Campos – Paulinas Comep)
1. O Espírito é luz que ilumina, convoca e envia a Igreja em missão, renova a esperança/ e anuncia o dia da festa da libertação.

Creio no Espírito Santo,/ que renova o homem com a liturgia./ Creio no Espírito Santo,/ que mata a fome na Eucaristia. (bis)
2. Ao irmão que faminto ao meu lado, sedento de paz, com fome de amor, não falte a justa partilha na mesa do pobre o pão do Senhor.
3. Ele ajuda a escrever a história, recriando a vida faz um mundo novo e faz na Igreja a memória de olhos abertos pra fome do povo.
4. Sua face em mistério se encobre no fogo, no vento, na água, no pão; porém se revela no pobre, e se faz parceiro da libertação.

60. JESUS CRISTO ESTÁ REALMENTE (C)
(Popular brasileiro)
1. Jesus Cristo está realmente/ de noite e de dia presente no altar./ Esperando que cheguem as almas/ humildes, confiantes para o visitar.
Jesus, nosso irmão, Jesus Redentor,/ nós te adoramos na Eucaristia,/ Jesus de Maria, Jesus, Rei de amor.
2. O Brasil, esta terra adorada,/ por ti abençoada foi logo ao nascer./ Sem Jesus o Brasil, Pátria amada,/ não pode ser grande, não pode viver.
3. Brasileiros, quereis que esta Pátria,/ tão grande, tão bela, seja perenal?/ Comungai, comungai todo dia:/ a Eucaristia é vida imortal.

61. DEUS DE AMOR (GM)
(L.: Pe. Josmar Braga/ M.: José Alves – Paulus)
1. Deus de amor, nós te adoramos neste sacramento,/ corpo e sangue que fizeste nosso alimento./ És o Deus escondido, vivo e vencedor,/ a teus pés depositamos todo nosso amor.
2. Meus pecados redimistes sobre a tua cruz,/ com teu corpo e com teu sangue, ó Senhor Jesus!/ Sobre os nossos altares, vítima sem par,/ teu divino sacrifício queres renovar.
3. Creio em ti ressuscitado, mais que São Tomé./ Mas aumenta na minh'alma o poder da fé./ Guarda a minha esperança, cresce o meu amor./ Creio em ti ressuscitado, meu Deus e Senhor!

4. Ó Jesus, que nesta vida pela fé eu vejo,/ realiza, eu te suplico, este meu desejo:/ ver-te enfim, face a face, meu divino amigo,/ lá no céu, eternamente, ser feliz contigo.

62. GLÓRIA A JESUS (D)
(Popular brasileiro – Associação do Senhor Jesus)
1. Glória a Jesus na hóstia santa, que se consagra sobre o altar, e aos nossos olhos se levanta para o Brasil abençoar.
Que o santo Sacramento, que é o próprio Cristo Jesus,/ seja adorado e seja amado nesta terra de Santa Cruz!
2. Glória a Jesus, Deus escondido, que, vindo a nós na comunhão, purificado, enriquecido, deixa-nos sempre o coração.
Que o santo Sacramento, que é o próprio Cristo Jesus,/ seja adorado e seja amado nesta terra de Santa Cruz!
3. Glória a Jesus na Eucaristia, cantemos todos sem cessar, certos também que, de Maria, bênçãos a Pátria há de ganhar.

63. GRAÇAS E LOUVORES (E)
(Pe. Ronoaldo Pelaquin, C.Ss.R.)
Graças e louvores nós vos damos a cada momento, ó Santíssimo e Diviníssimo Sacramento.
1. No Sacramento misterioso do teu altar, o que era pão, agora é a carne de Jesus. Quero comungar o Corpo de Deus, quero o teu corpo comungar.
2. No sacramento misterioso do teu altar, o que era vinho, agora é o sangue de Jesus. Quero comungar o Sangue de Deus, quero o teu sangue comungar.
3. Se tu me deste tua vida, ó meu Senhor, se tu me deste tua vida em comunhão, quero distribuir-te a meu irmão, quero distribuir-te com meu amor.

64. EU TE ADORO, Ó CRISTO (A)
(L.: Santo Tomás de Aquino/ M.: Pe. Ronoaldo Pelaquin)
1. Eu te adoro, ó Cristo, Deus no santo altar,/ neste Sacramento vivo a palpitar./ Dou-te sem partilha, vida e coração./ Pois de amor me inflamo, na contemplação./ Tato e vista falham, bem como o sabor./ Só por meu ouvido tem a fé vigor./ Creio o que dissestes, ó Jesus meu Deus./ Verbo da Verdade, vindo a nós do céu.

Jesus nós te adoramos!/ Jesus nós te adoramos!/ Jesus nós te adoramos!/ Jesus nós te adoramos!
2. Tua divindade não se viu na cruz,/ nem a humanidade vê-se aqui, Jesus./ Ambas eu confesso como o bom ladrão,/ e um lugar espero na eterna mansão./ Não me deste a dita como a São Tomé,/ de tocar-te as chagas, mas eu tenho fé./ Faze que ela cresça com o meu amor,/ a minha esperança tenha novo ardor.
3. Dos teus sofrimentos é memorial,/ este pão de vida pão celestial./ Dele eu sempre queira mais me alimentar,/ sentir-lhe a doçura divinal sem par./ Bom Pastor piedoso, Cristo meu Senhor,/ lava no teu Sangue, a mim tão pecador./ Pois que uma só gota pode resgatar do pecado o mundo e o purificar.

65. PROVA DE AMOR (DM)
(L.: Pe. José Weber e D. Carlos A. Navarro/ M.: Pe José Weber – Paulinas Comep)
Prova de amor maior não há que doar a vida pelo irmão.
1. Eis que eu vos dou o meu novo mandamento: "Amai-vos uns aos outros como eu vos tenho amado".
2. Vós sereis os meus amigos se seguirdes meu preceito: "Amai-vos uns aos outros como eu vos tenho amado".
3. Como o Pai sempre me ama assim também eu vos amei: "Amai-vos uns aos outros como eu vos tenho amado".
4. Permanecei em meu amor e segui meu mandamento: "Amai-vos uns aos outros como eu vos tenho amado".
5. E, chegando a minha Páscoa, vos amei até o fim: "Amai-vos uns aos outros como eu vos tenho amado".
6. Nisto todos saberão que vós sois os meus discípulos: "Amai-vos uns aos outros como eu vos tenho amado".

66. O POVO DE DEUS (D)
(Nely Silva Barros – Paulinas Comep)
1. O Povo de Deus, no deserto andava, mas a sua frente, alguém caminhava. O povo de Deus era rico de nada,/ só tinha a esperança e o pó da estrada.
Também sou teu povo, Senhor,/ e estou nessa estrada./ Somente a tua graça me basta e mais nada. (bis)

2. O Povo de Deus também vacilava, às vezes custava a crer no amor./ O Povo de Deus, chorando rezava,/ pedia perdão e recomeçava.
Também sou teu povo, Senhor,/ e estou nessa estrada./ Perdoa se às vezes não creio em mais nada. (bis)
3. O Povo de Deus, também teve fome/ e tu lhe mandaste o pão lá do céu./ O Povo de Deus, cantando deu graças,/ provou teu amor, teu amor, que não passa.
Também sou teu povo, Senhor,/ e estou nessa estrada./ Tu és alimento na longa jornada. (bis)
4. O Povo de Deus, ao longe avistou/ a terra querida, que o amor preparou./ O Povo de Deus corria e cantava,/ e nos seus louvores, seu poder proclamava.
Também sou teu povo, Senhor,/ e estou nessa estrada,/ cada dia mais perto da terra esperada. (bis)

67. SALMO 22 (D)
(Frei Fabreti – Paulinas Comep)
1. Pelos prados e campinas verdejantes eu vou./ É o Senhor que me leva a descansar./ Junto às fontes de águas puras repousantes eu vou./ Minhas forças o Senhor vai animar.
Tu és, Senhor, o meu Pastor./ Por isso nada em minha vida faltará. (bis)
2. Nos caminhos mais seguros junto dele eu vou./ E pra sempre o seu nome eu honrarei./ Se encontro mil abismos nos caminhos, eu vou./ Segurança sempre tenho em suas mãos.
3. Co'alegria e esperança, caminhando eu vou./ Minha vida está sempre em suas mãos./ E na casa do Senhor eu irei habitar./ E este canto para sempre irei cantar.

68. ÉS ÁGUA VIVA (G)
(Pe. Zezinho, SCJ – Paulinas Comep)
Eu te peço desta água que tu tens./ É água viva, meu Senhor./ Tenho sede, tenho fome de amor, e acredito nesta fonte de onde vens./ Vens de Deus, estás em Deus, também és Deus,/ e Deus contigo faz um só./ Eu, porém, que vim da Terra e volto ao pó./ Quero viver eternamente ao lado teu.

És água viva, és vida nova,/ e todo dia me batizas outra vez./ Me fazes renascer, me fazes reviver./ Eu quero água desta fonte de onde vens.

69. QUERO OUVIR TEU APELO (A)
(Ir. Míria T. Kolling)
1. Quero ouvir teu apelo, Senhor,/ ao teu chamado de amor responder./ Na alegria te quero servir,/ e anunciar o teu reino de amor.
E pelo mundo eu vou,/ cantando o teu amor,/ pois disponível estou/ para servir-te, Senhor.
2. Dia a dia, tua graça me dás./ Nela se apoia o meu caminhar./ Se estás a meu lado, Senhor,/ o que, então, poderei eu temer?!...

70. ALMA MISSIONÁRIA (E)
(Ziza Fernandes)
1. Senhor, toma minha vida nova antes que a espera desgaste anos em mim./ Estou disposto ao que queiras não importa o que seja,/ tu chamas-me a servir.
Leva-me onde os homens necessitem tua palavra, necessitem de força de viver./ Onde falte a esperança onde tudo seja triste simplesmente por não saber de ti.
2. Te dou meu coração sincero para gritar sem medo formoso é o teu amor./ Senhor, tenho alma missionária conduza-me à terra que tenha sede de ti.
3. E assim eu partirei cantando, por terras anunciando tua beleza, Senhor./ Terei meus braços sem cansaço, tua história em meus lábios e força na oração.

71. MISSIONÁRIOS DA COPIOSA REDENÇÃO (A)
(Pe. José de Anchieta Tavares)
Da cidade ao campo, nosso chão, somos missionários da copiosa redenção (bis).
1. Anunciamos a Boa-Nova de Jesus./ Somos Sal, Fermento, Vida, Paz e Luz./ Com o sim que nós dissemos pela fé/ nós fazemos tudo aquilo que Deus quer.
2. Pela graça é pela nossa vocação./ Sempre unidos pela força da união./ Convocamos toda a Igreja para o agir./ E ensinamos a amar e repartir.

3. Partilhamos a Boa-Nova de Deus Pai./ Seu Espírito conosco sempre vai./ Onde há destinatários a esperar./ Nós chegamos para o Cristo anunciar.
4. Caminhamos com Jesus e com Maria./ Proclamamos o Evangelho com alegria./ Ensinamos a crescer na unidade./ E a viver a vida em comunidade.

72. BRILHE VOSSA LUZ (C)
(Pe. Ney Brasil)
Brilhe a vossa luz, brilhe para sempre./ Sejam luminosas vossas mãos e as mentes./ Brilhe a vossa luz/. Brilhe a vossa luz./ Brilhe a vossa luz./ Brilhe a vossa luz!
1. Vós sois a luz do mundo, a todos aclarai/ afugentando as trevas, ao Pai glorificai!
2. A vossa Luz é o Cristo que dentro em vós está./ Via, Verdade e Vida, Ele vos guiará!
3. Rompendo o jugo iníquo, banindo a opressão,/ a vossa luz rebrilha e as trevas fugirão!

73. O SENHOR ME CHAMOU (G)
(DR)
1. O Senhor me chamou a trabalhar, a messe é grande a ceifar. A ceifar o Senhor me chamou. Senhor, aqui estou!
Vai trabalhar pelo mundo afora! Eu estarei até o fim contigo! Está na hora, o Senhor me chamou! Senhor, aqui estou!
2. Dom de amor é a vida entregar, falou Jesus e assim o fez. Dom de amor é a vida entregar, chegou a minha vez.

74. ORAÇÃO PELA FAMÍLIA (D)
(Pe. Zezinho, SCJ – Paulinas Comep)
1. Que nenhuma família comece em qualquer de repente. Que nenhuma família termine por falta de amor. Que o casal seja um para o outro de corpo e de mente, e que nada no mundo separe um casal sonhador.
2. Que nenhuma família se abrigue debaixo da ponte. Que ninguém interfira no lar e na vida dos dois, que ninguém os obrigue a viver sem nenhum horizonte. Que eles vivam do ontem, no hoje e em função de um depois.

Que a família comece e termine sabendo aonde vai. E que o homem carregue nos ombros a graça de um pai. Que a mulher seja um céu de ternura, aconchego e calor, e que os filhos conheçam a força que brota do amor.
— Abençoa, Senhor, as famílias, amém. Abençoa, Senhor, a minha também. (bis)
3. Que marido e mulher tenham força de amar sem medida. Que ninguém vá dormir sem pedir ou sem dar seu perdão. Que as crianças aprendam no colo o sentido da vida, que a família celebre a partilha do abraço e do pão.
4. Que marido e mulher não se traiam nem traiam seus filhos. Que o ciúme não mate a certeza do amor entre os dois. Que no seu firmamento a estrela que tem maior brilho seja a firme esperança de um céu aqui mesmo e depois.
Que a família comece e termine...

75. EU CONFIO EM NOSSO SENHOR (E)
(Jorge Pinheiro – Paulinas Comep)
Eu confio em nosso Senhor, com fé, esperança e amor!
1. Creio em Deus, Uno, Trino e Eterno que criou o céu, a terra e o mar. Sou católico, firme, sincero, ao meu Deus aprendi adorar.
2. Eu espero salvar a minha alma, com o auxílio da graça de Deus. Cumprirei sempre os dez mandamentos, que me abrem as portas do céu.
3. Amo a Deus sobre todas as coisas e lhe dou este meu coração. Amo ao próximo como a mim mesmo, pois o próximo é meu irmão.

76. SEGURA NA MÃO DE DEUS (F)
(DR)
1. Se as águas do mar da vida quiserem te afogar,/ segura na mão de Deus e vai./ Se as tristezas desta vida quiserem te sufocar,/ segura na mão de Deus e vai.
Segura na mão de Deus,/ segura na mão de Deus,/ pois ela, ela te sustentará./ Não temas, segue adiante, e não olhes para trás:/ segura na mão de Deus e vai.

2. Se a jornada é pesada e te cansas da caminhada,/ segura na mão de Deus e vai;/ orando, jejuando, confiando e confessando,/ segura na mão de Deus e vai.
3. O Espírito do Senhor sempre te revestirá,/ segura na mão de Deus e vai./ Jesus Cristo prometeu que jamais te deixará:/ segura na mão de Deus e vai.
4. A Virgem Mãe do Senhor sempre te acompanhará,/ segura na mão de Deus e vai./ Os caminhos de Maria com amor percorrerás./ Segura na mão de Deus e vai.

77. ESTOU PENSANDO EM DEUS (D)
(Pe. Zezinho, SCJ – Paulinas Comep)
Estou pensando em Deus, estou pensando no amor. (bis)
1. Os homens fogem do amor e, depois que se esvaziam, no vazio se angustiam e duvidam de você. Você chega perto deles, mesmo assim ninguém tem fé.
2. Eu me angustio quando vejo que, depois de dois mil anos, entre tantos desenganos, poucos vivem sua fé. Muitos falam de esperança, mas se esquecem de você.
3. Tudo podia ser melhor, se meu povo procurasse, nos caminhos onde andasse, pensar mais no seu Senhor. Mas você fica esquecido e, por isso, falta amor.
4. Tudo seria bem melhor, se o Natal não fosse um dia, e se as mães fossem Maria, e se os pais fossem José, e se a gente parecesse com Jesus de Nazaré.

78. BENDITA E LOUVADA SEJA (D)
(Popular brasileiro – Associação do Senhor Jesus)
1. Bendita e louvada seja, no céu a divina luz; e nós também cá na terra louvemos a Santa Cruz!
2. Os céus cantam a vitória de nosso Senhor Jesus. Cantemos também na terra louvores à Santa Cruz!
3. Sustenta gloriosamente nos braços o bom Jesus, sinal de esperança e vida o lenho da Santa Cruz.
4. Humildes e confiantes levemos a nossa cruz, seguindo o sublime exemplo de nosso Senhor Jesus.
5. É arma em qualquer perigo, é raio de eterna luz, bandeira vitoriosa, o santo sinal da Cruz.

6. Ao povo aqui reunido, dai graça, perdão e luz. Salvai-nos, ó Deus clemente, em nome da Santa Cruz.

79. NA PALMA DA MINHA MÃO (D)
(DR)
Na palma da minha mão,/ eu tenho ardor missionário! (bis)
1. Só para te bendizer, Senhor,/ só para te bendizer! (bis)
2. Só para te oferecer, Senhor,/ só para te oferecer! (bis)
3. Só para te receber, Senhor,/ só para te receber! (bis)
4. Só para te acolher, Senhor,/ só para te acolher! (bis)
5. Só para te engrandecer, Senhor,/ só para te engrandecer! (bis)
6. Só para te merecer, Senhor,/ só para te merecer! (bis)
7. Só para te agradecer, Senhor,/ só para te agradecer! (bis)

80. SÓ NAS SANTAS MISSÕES (C)
(DR)
Só nas Santas Missões nós temos/ uma festa bonita assim,/ um começo de lá do céu/ onde a festa não tem mais fim. (bis)
1. Virgem Santa do céu Rainha nosso amor,/ nossa mãe querida,/ sempre vossos queremos ser,/ sois o encanto de nossa vida. (bis)
2. Como pobres estão sofrendo/ neste mundo de opressão,/ mas lutamos com esperança/ preparando a libertação. (bis)

81. EU SOU IGREJA (D)
(DR)
Eu sou Igreja, tu és Igreja, somos a Igreja do Senhor. Irmão, vem ajuda, irmã, vem ajuda, a edificar a Igreja do Senhor.

82. LEVANTA MISSIONÁRIO (G)
(DR)
Levanta missionário pra levar a boa nova. (2x)/ Vamos plantar o amor que a vida se renova. (2x)/ Bota o pé na estrada, erga a mão pro céu. (2x)/ A luta é grande, mas a justiça de Deus é fiel. (2x)

Eu vou, eu vou, eu vou! Quem vai, quem vai, quem vai? (bis)/ Na barca dos missionários construtores do reino do Pai. (bis)
Bota o pé na estrada, erga a mão pro céu. (2x)/ A luta é grande, mas a justiça de Deus é fiel. (2x)

CÂNTICOS A NOSSA SENHORA

83. VIVA A MÃE DE DEUS E NOSSA (DM)
(J. Vieira de Azevedo – Paulinas Comep)
Viva a Mãe de Deus e nossa, sem pecado concebida. Viva a Virgem Imaculada, a senhora Aparecida.
1. Aqui estão vossos devotos, cheios de fé incendida, de conforto e de esperança, ó Senhora Aparecida.
2. Protegei a Santa Igreja, Mãe terna e compadecida. Protegei a nossa Pátria, ó senhora Aparecida.
3. Oh! Velai por nossos lares, pela infância desvalida, pelo povo brasileiro, ó senhora Aparecida.

84. GRAÇAS VOS DAMOS (C)
(DR)
1. Graças vos damos, Senhora, Virgem por Deus escolhida para a Mãe do Redentor, ó senhora Aparecida! (bis)
2. Louvemos sempre a Maria, Mãe de Deus, autor da vida. Louvemos com alegria a Senhora Aparecida. (bis)
3. E na hora derradeira, ao sairmos desta vida, implorai a Deus por nós, ó Senhora Aparecida!

85. A PADROEIRA (A)
(Joanna – Sony Music Entertainment)
1. Ó Virgem Santa, rogai por nós, pecadores./ Junto a Deus Pai e livrai-nos do mal e das dores./ Que todo homem caminhe tocado pela fé./ Crendo na graça divina esteja como estiver.
Abençoai nossas casas,/ as águas, as matas e o pão nosso./ A luz de toda manhã,/ o amor sobre o ódio./ Iluminai a cabeça dos homens,/ te pedimos agora/ e que o bem aconteça/ Nossa senhora.

86. NÓS TE SAUDAMOS, CHEIA DE GRAÇA (G)
(José A. Santana)
1. Nós te saudamos, cheia de graça;/ todos abraças com tua luz./ Te consagramos a nossa vida,/ Aparecida, mãe de Jesus.
Na imagem tão pequena,/ tu és a mãe morena,/ a Padroeira do Brasil. (Bis)
2. Ó mãe divina,/ consolo santo,/ que enxuga o pranto dos filhos teus,/ tu nos ensinas que o rosto escuro/ também é puro perante Deus.
3. Os caminhantes que te procuram/ aqui se curam na tua paz./ Aos navegantes do rio-vida/ tua acolhida sempre darás.

87. VIRGEM, TE SAUDAMOS (D)
(DR)
1. Virgem, te saudamos, vem nos amparar. Nós te suplicamos, vem nos amparar.
Ó Maria, Mãe de Deus, vem salvar os filhos teus.
2. Em qualquer perigo, vem nos amparar. Dá-nos teu abrigo, vem nos amparar.
3. Cheia de bondade, vem nos amparar. Salva a humanidade, vem nos amparar.
4. Quando o mal nos tenta, vem nos amparar. Nosso amor alenta, vem nos amparar.
5. Em todos os dias, vem nos amparar. Dá-nos alegria, vem nos amparar.

88. MARIA DE NAZARÉ (D)
(Pe. Zezinho, SCJ – Paulinas Comep)
Maria de Nazaré, Maria me cativou. Fez mais forte a minha fé e por filho me adotou. Às vezes eu paro e fico a pensar e, sem perceber, me vejo a rezar, o meu coração se põe a cantar pra Virgem de Nazaré. Menina que Deus amou e escolheu pra Mãe de Jesus, o Filho de Deus. Maria que o povo inteiro elegeu, Senhora e Mãe do Céu.
Ave, Maria...

Maria que eu quero bem, Maria do puro amor. Igual a você ninguém, Mãe pura do meu Senhor. Em cada mulher que a terra criou, um traço de Deus Maria deixou, um sonho de mãe Maria plantou, pro mundo encontrar a paz. Maria, que fez o Cristo falar; Maria, que fez Jesus caminhar; Maria que só viveu pra seu Deus; Maria do povo meu.
Ave, Maria...

89. PELAS ESTRADAS DA VIDA (C)
(M de Espinosa – Canções para Orar 1)
1. Pelas estradas da vida, nunca sozinho estás. Contigo pelo caminho Santa Maria vai.
Ó vem conosco, vem caminhar, Santa Maria, vem. (bis)
2. Se pelo mundo os homens sem conhecer-se vão. Não negues nunca a tua mão, a quem te encontrar.
3. Mesmo que digam os homens, "Tu nada podes mudar", luta por um mundo novo, de unidade e paz.

90. UMA ENTRE TODAS (D)
(DR)
1. Uma entre todas foi a escolhida:/ foste tu, Maria, serva preferida,/ Mãe do meu Senhor,/ Mãe do meu Salvador!
Maria, cheia de graça e consolo,/ venha caminhar com teu povo./ Nossa mãe e sempre serás! (bis)
2. Roga pelos pecadores desta terra./ Roga pelo povo que em seu Deus espera,/ Mãe do meu Senhor, Mãe do meu Salvador!

91. IMACULADA (G)
(José A. Santana – Paulinas Comep)
Imaculada, Maria de Deus, coração pobre acolhendo Jesus. Imaculada, Maria do povo, Mãe dos aflitos que estão junto à cruz!
1. Um coração que era "sim" para a vida, um coração que era "sim" para o irmão, um coração que era "sim" para Deus: Reino de Deus renovando este chão.
2. Olhos abertos pra sede do povo, passo bem firme que o medo desterra, mãos estendidas que os tronos renegam; Reino de Deus que renova esta terra.

3. Faça-se, ó Pai, vossa plena vontade, que os nossos passos se tornem memória do amor fiel que Maria gerou; Reino de Deus atuando na História.

92. CONSAGRAÇÃO (A)
(Letra Tradicional/ M.: Fátima M. Gabrielli)
Ó minha Senhora e também minha mãe,/ eu me ofereço inteiramente todo a vós./ E, em prova de minha devoção,/ eu hoje vos dou meu coração./ Consagro a vós meus olhos,/ meus ouvidos, minha boca./ Tudo o que sou, desejo que a vós pertença./ Incomparável Mãe,/ guardai-me, defendei-me,/ como filho(a) e propriedade vossa. Amém. (bis)

93. ABENÇOA ESTA MISSÃO (D)
(DR)
1. Abençoa esta missão,/ Virgem Mãe Senhora Nossa,/ com a tua proteção,/ ó Senhora Aparecida.
2. Mãe querida,/ Mãe de Deus,/ vem com coração bondoso./ Receber os filhos teus,/ ó Senhora Aparecida.
3. Mãe clemente,/ pelas dores de teu Filho inocente./ Distribui os teus favores,/ ó Senhora Aparecida.
4. Esperamos,/ ó Maria, nas celestes Alegrias./ Contemplar Jesus um dia,/ ó Senhora Aparecida.
5. Vem Maria por piedade ajudar aos pecadores./ Faz a todas as caridades,/ ó Senhora Aparecida.
6. Todos,/ à porfia que desejam ser felizes./ Se consagram a Maria,/ ó Senhora Aparecida.

94. MARIA O MAGNIFICAT CANTOU (D)
(DR)
1. Maria o Magnificat cantou,/ e com Ela também nós vamos cantar./ Pão e vida é o brado de um Brasil,/ que de norte a sul se uniu,/ para o Cristo celebrar.
Aparecida é a Mãe do pescador,/ é a Mãe do Salvador,/ é a Mãe de todos nós.
2. Maria o Magnificat cantou,/ e com ela também nós vamos cantar:/ protegendo e defendendo nosso irmão,/ que merece peixe e pão,/ pra sua fome saciar.

3. Maria o Magnificat cantou,/ e com ela também nós vamos cantar,/ nos unindo para a Ceia do Senhor,/ com Jesus, o Salvador,/ de mãos dadas com o irmão.
4. Maria o Magnificat cantou,/ e com ela também nós vamos cantar./ O amor que se fazendo refeição/ sobre a mesa é vinho e pão,/ é corpo do Senhor.
5. Maria o Magnificat cantou,/ e com ela também nós vamos cantar:/ implorando pelo povo sofredor,/ que por falta de amor,/ nada tem para comer.

95. CAMINHANDO COM MARIA (G)
(José A. Santana – Paulinas Comep)
1. Santa Mãe Maria, nesta travessia,/ cubra-nos teu manto cor de anil./ Guarda nossa vida, Mãe Aparecida, Santa Padroeira do Brasil.
Ave, Maria./ Ave, Maria! (bis)
2. Com amor divino,/ guarda os peregrinos,/ nesta caminhada para o além./ Dá-lhes companhia, pois também um dia/ foste peregrina de Belém.
3. Mulher peregrina, força feminina,/ a mais importante que existiu./ Com justiça queres que nossas mulheres/ sejam construtoras do Brasil.

96. VIRGEM MÃE TÃO PODEROSA (A)
(Glória Viana – Paulus)
1. Virgem Mãe tão poderosa,/ Aparecida do Brasil!/ Mãe fiel aos seus devotos,/ de cor morena, uniu os filhos seus./ Mãe, és Rainha dos peregrinos,/ que vêm de longe pra te saudar!/ Mãe venerada, sejas louvada!/ És o orgulho do Brasil!
2. Mãe, teu nome ressurgido,/ dentro das águas de um grande rio,/ espalhou-se como vento,/ de Sul a Norte pra nós surgiu!/ Mãe caridosa, sempre esperando,/ de mãos erguidas, os filhos teus,/ tu és Rainha do mundo inteiro,/ Aparecida do Brasil!

97. COMPANHEIRA MARIA (C)
(L.: e M.: Raimundo Brandão – Paulus)
1. Companheira Maria,/ perfeita harmonia entre nós e o Pai./ Modelo dos consagrados, nosso Sim/ ao chamado do Senhor confirmai.

Ave, Maria, cheia de graça, plena de raça e beleza./ Queres com certeza que a vida renasça./ Santa Maria, mãe do Senhor,/ que se fez pão para todos,/ criou mundo novo, só por amor.
2. Intercessora Maria,/ perfeita harmonia entre nós e o Pai./ Justiça dos explorados, combate o pecado,/ torna os homens iguais.
3. Transformadora Maria,/ perfeita harmonia entre nós e o Pai./ Espelho de competência,/ afasta a violência, enche o mundo de paz.

98. EU CANTO LOUVANDO MARIA, MINHA MÃE (E)
(Pe. Élio Athayde , C.Ss.R. – CD Alvorecer)
Eu canto louvando Maria, minha Mãe./ A ela um eterno obrigado eu direi./ Maria foi quem me ensinou a viver,/ Maria foi quem me ensinou a sofrer.
1. Maria em minha vida é luz a me guiar./ É Mãe que me aconselha, me ajuda a caminhar./ Mãe do bom conselho, rogai por nós.
2. Quando eu sentir tristeza, sentir a cruz pesar,/ ó Virgem, Mãe das Dores, de ti vou me lembrar:/ Virgem Mãe das Dores, rogai por nós.
3. Se um dia o desespero me vier atormentar,/ a força da esperança em ti vou encontrar:/ Mãe da esperança, rogai por nós.
4. Nas horas de incerteza, ó Mãe, vem me ajudar./ Que eu sinta confiança na paz do teu olhar:/ Mãe da confiança, rogai por nós.

99. BENDITA SEJAIS (E)
(Popular Brasileiro)
Bendita sejais, Senhora das Dores!/ Ouvi nossos rogos, Mãe dos pecadores.
1. Ó Mãe dolorosa, que aflita chorais,/ repleta de dores, bendita sejais!
2. Manda Deus um anjo dizer que fujais/ do bárbaro Herodes, bendita sejais!
3. Que espada pungente vós experimentais,/ que o peito vos vara, bendita sejais!

4. Saindo do templo, Jesus não achais./ Que susto sofrestes! Bendita sejais!
5. Que tristes suspiros, então não lançais,/ que chegam aos céus! Bendita sejais!
6. Das lágrimas ternas, que assim derramais,/ nós somos a causa, bendita sejais!
7. Que dor tão cruel, quando o encontrais/ com a cruz às costas, bendita sejais!
8. O amado Jesus vós acompanhais/ até o Calvário, bendita sejais!
9. Entre dois ladrões, Jesus divisais/ pendente dos cravos, bendita sejais!
10. A dor inda cresce quando reparais/ que expira Jesus, bendita sejais!
11. A todos que passam triste perguntais/ se há dor como a vossa, bendita sejais!
12. No vosso regaço seu corpo aceitais/ sobre ele chorando, bendita sejais!
13. Com rogos e preces, vós o entregais/ para o sepultarem, bendita sejais!
14. Sem filho e tal filho, então suportais/ cruel soledade, bendita sejais!
15. Em triste abandono, Senhora, ficais,/ sem vosso Jesus, bendita sejais.

CÂNTICOS DA MISSÃOZINHA

100. O AMOR DE DEUS É MARAVILHOSO (A)
(DR)
1. Jesus Cristo está passando por aqui./ Quando ele passa tudo se transforma,/ a tristeza vai e a alegria vem./ Quando ele passa tudo se transforma,/ vem trazendo bênçãos para você e para mim também.
O amor de Deus é maravilhoso./ O amor de Deus é maravilhoso./ O amor de Deus é maravilhoso./ Grande é o amor de Deus.

2. Tão alto que eu não posso estar./ Mais alto do que ele./ Tão baixo que eu não posso estar./ Mais baixo do que ele./ Tão amplo que eu não posso estar./ Fora dele./ Grande é o amor de Deus.

101. UMA SEMENTINHA DE TRIGO (C)
(Frei Fabreti)
Uma sementinha de trigo/ caiu no chão e brotou,/ caiu no chão e brotou!/ Foi crescendo,/ foi crescendo/ e em pão da vida se tornou. (bis)
1. Vou comer deste pão para ser feliz e amar o irmão!
2. Este pão é Jesus, que vou receber nesta comunhão!
3. É Jesus, meu amigo e meu companheiro, está sempre comigo!
4. Ó Jesus, pão do céu, quero te amar de todo coração!

102. JESUS FALOU (A)
(DR)
Jesus falou que gosta de mim,/ também eu vou gostar de Jesus.

103. EIS O SEGREDO (D)
(DR)
Eis o segredo para ser feliz. (3 vezes)
— Amai-vos como irmãos.

104. EU VOU CRESCER (D)
(DR)
Eu vou crescer, eu vou crescer,/ crescer, crescer, crescer,/ crescer para Jesus./ E quando eu estiver/ deste tamanho assim,/ eu quero trabalhar/ para Jesus sem fim. Lá, lá, lá. Lá, lá, lá.

105. PASSA POR AQUI, SENHOR (C)
(DR)
1. Passa por aqui, Senhor,/ passa por aqui. (bis) Ó Senhor, passa por aqui. (bis)
2. Quero te ouvir, Senhor,/ quero te ouvir. (bis) Ó Senhor, quero te ouvir. (bis)

3. Quero te falar, Senhor,/ quero te falar. (bis). Ó Senhor, quero te falar. (bis)
4. Quero te seguir, Senhor,/ quero te seguir (bis). Ó Senhor, quero te seguir. (bis)
5. Quero te amar, Senhor,/ quero te amar (bis). Ó Senhor, quero te amar. (bis)

106. DEUS ESTÁ EM TODA PARTE (C)
(DR)
Deus está em toda parte, te,/ tudo sabe, be,/ tudo vê, vê, vê./ E por isso, só, não estou só, só,/ Ele está, comigo e com você.

107. DEUS FEZ CRESCER O CAPIM (D)
(DR)
1. Deus fez crescer o capim,/ Deus cuida dos passarinhos,/ Deus não se esquece das flores,/ das frutas e dos coelhinhos.
2. Foi Ele quem fez o galo,/ a galinha, o pintainho,/ a vaca, o boi, o cavalo,/ e o meu bonito cãozinho.

108. OLÊ, OLÁ (C)
(DR)
Olê, olê, olá, na escola de Jesus vou me matricular. (bis)
1. Nessa escola de alegria,/ Jesus Cristo é o Professor,/ a Diretora é Maria,/ o ABC é o Amor.
2. Aprendemos com certeza/ a somar muita humildade,/ diminuir nossa tristeza,/ multiplicar nossa bondade.

109. TRÊS PALAVRINHAS (D)
(DR)
Três palavrinhas só,/ eu aprendi de cor:/ Deus é Amor./ Três palavrinhas só!

110. EU TENHO UM AMIGO (D)
(DR)
Eu tenho um amigo que me ama,/ me ama, me ama./ Eu tenho um Amigo que me ama,/ seu nome é Jesus.
Jesus, Jesus, seu nome é Jesus. (bis)

111. SOMOS DE DEUS (C)
(DR)
Somos de Deus! Filhos de Deus! Deus é o nosso Pai e o nosso criador!
— As estrelinhas que brilham lá no céu, brilham, brilham pra louvar a Deus.
— Os passarinhos que voam pelos ares...
— Os peixinhos que nadam pelas águas...
— As florezinhas que crescem pela terra...
— Os cavalinhos que correm pelos campos...
— As crianças aqui de... cantam, cantam...

112. O TELEFONE DO CÉU (D)
(DR)
O telefone do céu/ é a oração./ O telefone do céu/ é o joelho no chão./ Você liga uma vez,/ duas e três./ E se não atender, e se não atender,/ você liga outra vez./ Trim, Trim, Trim, Trim.

113. MEU SORRISO (D)
(DR)
Meu sorriso não é só meu,/ foi Deus quem me deu./ Este sorriso que não é só meu. O que eu tenho de bom é pra dar aos meus irmãos. (bis)
Meu brinquedo... Meu alimento... Meu dinheiro...

114. GLÓRIA A DEUS (D)
(DR)
Glória a Deus, que de tudo é o Senhor./ As crianças falam dele com amor. (bis)
1. Louvado seja Deus, Ele é o nosso Pai./ Na sua direção é que este mundo vai.
2. E viva Jesus Cristo, Ele é nosso irmão./ O mundo também vai na sua direção.
3. O Espírito de Vida que de ambos vem./ É ele que nos leva em direção do bem.

ÍNDICE

Apresentando 3
Temas Missionários 4
Orações 37
Celebrações 45
Roteiro para reuniões de evangelização 64
Cânticos para as missões 66
Cânticos a Nossa Senhora 93
Cânticos da Missãozinha 99

ÍNDICE

Apresentação 3
Temas Missionários 7
Orações 37
Celebrações 49
Roteiro para reunião eclesio-evangelização 64
Dinâmicas para as missões 66
Cânticos a Nossa Senhora 69
Cânticos da Missa conga 99